LA PROBLEMATICA PSICO-SOCIAL Y SU CORRELACION LINGÜISTICA EN LAS NOVELAS DE JORGE ICAZA

COLECCION POLYMITA

Ediciones Universal, Miami. 1974

ANTHONY J. VETRANO

LA PROBLEMATICA PSICO-SOCIAL Y SU CORRELACION LINGÜISTICA EN LAS NOVELAS DE JORGE ICAZA

EDICIONES UNIVERSAL
P. O. BOX 353
Miami, Florida, U.S.A. 33145.

Library of Congress Catalog Card Number: 73-82307

Depósito legal: B. 178-1974
I.S.B.N.: 84 - 399 - 2526 - 3

Printed in Spain   *Impreso en España*

Impreso en el complejo de Artes Gráficas
de la EDITORIAL VOSGOS, S. A., Av.
Virgen de Montserrat, 8 BARCELONA-12
(España)

A mi esposa Kathleen y a nuestros hijitos Mark y Kathryn

PREFACIO

La obra novelesca del ecuatoriano Jorge Icaza cuenta hasta la fecha con una bibliografía bastante extensa. Desgraciadamente, las investigaciones realizadas en torno a esa obra han sido, en su mayoría, fragmentarias. Esta monografía se propone analizar la posición que ocupan el indio y el cholo en el mundo de la novela icazana; de sopesar sus relaciones sociales y lingüísticas. Al lector interesado en otros aspectos contenidos en la novelística de Icaza, le recomendamos el estudio del profesor Kessel Schwartz, «The Contemporary Novel of Ecuador» (tesis doctoral inédita escrita para Columbia University, 1953); la obra bien conocida de Angel F. Rojas, La novela ecuatoriana (México: Fondo de Cultura Económica, 1948); la monografía biográfico-crítica de J. Eugenio Garro, Jorge Icaza: vida y obra (Nueva York: The Hispanic Institute, 1947); el excelente estudio hecho por Enrique Ojeda, Cuatro obras de Jorge Icaza (Quito: Casa de la Cultura Ecuatoriana, 1961); y la destacada obra crítica de Francisco Ferrándiz Alborz, El novelista hispanoamericano Jorge Icaza (Quito: Editora Quito, 1961). Estos estudios han centrado su interés en temas biográficos, novelescos en general, o han presentado al novelista en conjunto con otros autores. Nuestro estudio se limitará a los aspectos sociales y lingüísticos, como ya apuntamos arriba.

Durante el curso de esta investigación, le presentaremos al lector una visión dual: la sociología indígena y chola, y su expresión lingüística. Separar ambos elementos sería un grave error, ya que los dos existen en función complementaria. En la Primera Parte de esta monografía se presentará un análisis exhaustivo de las novelas de nuestro autor en relación con el tratamiento social del indio o del cholo —sus

7

problemas, su mundo. Al mismo tiempo, se evaluará la técnica usada en la caracterización de estos personajes. La Segunda Parte tratará del problema lingüístico: un estudio detallado de la influencia del quechua —idioma indígena incaico hablado siglos antes de la Conquista y que aún hoy día se habla en la Sierra ecuatoriana— sobre el español en el Ecuador. Para ello, analizaremos la novela Huasipungo, ya que, después de haber leído la novelística total de Icaza, creemos que esa obra representa la novela cumbre como cuadro fiel del lenguaje rústico de la región andina ecuatoriana.

Quisiera expresar mi gratitud hacia el profesor Myron I. Lichtblau, por sus valiosos consejos; al profesor Bernard M. Dulsey, por haberme facilitado material importante en el curso de mis investigaciones; al profesor D. Lincoln Canfield, por sus contribuciones inapreciables en el campo lingüístico, las cuales me han servido de inspiración; al Instituto Indigenista Interamericano de la Ciudad de México, en donde recibí ayuda pronta y entusiasta durante el verano de 1963; al profesor Helmy F. Giacomán, amigo y colega, por su amable lectura del manuscrito; y, sobre todo, al novelista amigo e inspirador, Jorge Icaza. También quisiera reconocerle al «Committee on Faculty Development and Research» de Le Moyne College la generosa beca que ha hecho posible este estudio.

A. J. V.

Le Moyne College
Syracuse, New York
Febrero de 1973

PRIMERA PARTE

EL MUNDO DEL INDIO Y DEL CHOLO EN LA NOVELÍSTICA DE JORGE ICAZA

CAPÍTULO I

INTRODUCCION

Antecedentes históricos

El año de 1934 es de capital importancia para las letras ecuatorianas. Es a partir de esa fecha que la producción literaria de Jorge Icaza se presenta como vehículo de expresión del tipo de estructura social presente en la región montañosa hoy día en el Ecuador. La labor de este novelista se ha centrado, principalmente, en un detallado estudio de los aspectos sociales en una etapa relacionada con la existencia indígena, y, en un plano paralelo, con una investigación de los problemas psicológicos que asedian la vida del cholo, producto de la mezcla de razas. Para el lector del mundo novelístico de Icaza, el mundo ancestral y su herencia inmediata ofrecen testimonio de una evidencia concreta. Es por este hecho que este estudio se propone plantear un detenido examen de los antecedentes históricos que han afectado la vida indígena desde la llegada de los españoles. Este examen nos preparará con una base para el entendimiento del origen y perpetuación consiguiente de los problemas básicos durante los siguientes cuatrocientos años. Al mismo tiempo, nos proveerá con una explicación de las relaciones raciales aún existentes en la Sierra andina del Ecuador.

El territorio que ocupa hoy en día el Ecuador ha sido ocupado por varias civilizaciones indígenas. Entre ellas tenemos la de los Chibchas, la Chimu y la de Cara. Todas estas culturas pasaron a ser superadas por la más avanzada de los incas a fines del siglo xv.[1] Las

11

masas invasoras se extendieron desde el centro de su imperio en el Cuzco, ciudad antigua del Perú, bajo el mando de su líder Tupac-Yupanqui, hasta penetrar profundamente en el territorio actual del Ecuador. Su intento de dominio encontró gran resistencia entre los aborígenes locales. De especial importancia es la resistencia de la civilización Cara en 1460. En efecto, los incas no lograron el éxito que se prometían en esa oportunidad. Tal vez el hecho que hizo que la sumisión de la civilización Cara tomara tanto tiempo fue la desmembración de ella en varios núcleos, los cuales tenían gobiernos independientes. Así la conquista incaica tuvo que hacerse lentamente. Finalmente, guiados por Huaina-Cápac,[2] hijo de Tupac-Yupanqui, lograron la ansiada sumisión, al triunfar en una sangrienta batalla en Quito.

La estructura social incaica, la cual fue naturalmente implantada sobre los vencidos, estaba basada en un sistema agrario de carácter comunal. Todo el territorio era propiedad del Estado, el cual, de acuerdo con sus necesidades intrínsecas, lo dividía en tres secciones: 1) El consagrado al Sol como deidad omnipotente, y del cual se obtenían beneficios económicos, usados para el mantenimiento religioso. Estos terrenos se utilizaban, sobre todo, para el soporte de los sacerdotes y de las vírgenes del Sol; 2) El dedicado al Inca, monarca del Imperio; y 3) El orientado al pueblo. El territorio reservado al pueblo se dividía cada año, según las necesidades de cada familia. Cada *pater familias*[3] recibía en calidad de usufructuario del Estado cierta extensión de terreno que él debía cultivar. Al mismo tiempo, cada hijo varón era objeto del mismo testimonio que el padre, y las hijas recibían la mitad del terreno otorgado al padre. Todos los ciudadanos tenían, al mismo tiempo, que cultivar las porciones dedicadas al dios Sol y al Inca, trabajo que se hacía en forma de turno. El Inca proporcionaba la cantidad necesaria de semillas para tal proyecto. Cuando la desgracia o los malos tiempos venían para el pueblo, la familia real ofrecía sus abastecimientos al pueblo. A pesar de que el sistema les parecía a los incas tener ciertas ventajas,[4] cualquier hombre formado en un sistema democrático tal como se conoce hoy en día, tal vez no concordaría con él. Tal vez el hecho más destacado para el hombre contemporáneo sea el que el inca jamás podía ser propietario de la tierra que asiduamente cultivaba. Al mismo tiempo, su personalidad se encontraba seriamente impedida, ya que su organización no le permitía desarrollar sus potencialidades, dado la estructura comunal. La tendencia del indio ecuatoriano hoy en día a ser gregario *dentro de su propia comunidad* para tener más seguridad debe de tener su origen en la sociedad incaica de la época antes de la Conquista.

Después de la muerte de Huaina-Cápac en 1526, el Imperio de los incas se dividió entre los hijos del Inca: Atahuallpa y Huascar. Ambos mostraban cierta animosidad entre sí debido a la ambición de cada uno. Con el objeto de decidir una cabeza, lucharon entre ellos. Atahuallpa ganó y fue el Inca. Sin embargo, su reinado duró poco, ya que cinco años más tarde sucumbió ante una fuerza expedicionaria de Juan Pizarro, y fue ejecutado. El resultado fue una lucha intensa y prolongada entre los incas y los españoles. Al fin ganaron los españoles, debido a su superioridad militar y al hecho de que los incas, sin líder, no lograron la unidad necesaria para mantener su ánimo.

La Conquista española del siglo XVI y el Período Colonial que siguió mantuvieron la condición servil del indio ecuatoriano. Es cierto que se le ofreció la oportunidad de hacerse cristiano y de aprender a leer y a escribir —esto gracias a los misioneros que acompañaron a los conquistadores—, pero esto fue todo lo ofrecido. Hoy en día tenemos el testimonio de muchos investigadores que soportan este juicio valorativo.[5] Tal vez, si se tuviera que señalar el aspecto más negativo de aquella sociedad, se tendría que mencionar el sistema de encomiendas, que resultó muy dañino para el indio. Los encomenderos obtuvieron grandes extensiones de tierra —y dentro de ese territorio, todo lo que contenía, inclusives los indios peones— como premio al aporte que recibió la corona española. Ahora bien, la relación entre el encomendero y el indio asumió un carácter feudal. Del mismo modo que los sirvientes medievales tenían que seguir a sus amos al campo de batalla, los indios tenían la misma obligación para con los encomenderos. Y no pocas veces el indio peón acababa por ser encarcelado, porque le era imposible reembolsarle a su «benefactor» el préstamo que se le daba para poder pagarle a éste por cierta mercancía comprada en la ciudad y luego vendida al pobre indio a unos precios altísimos.[6] Para el encomendero, el cometer abusos como el de la usura que acabamos de mencionar no le ponía en ningún peligro, ya que bien se daba cuenta de que había millares de millas de océano que le separaban de los reyes españoles y del Consejo de Indias, a

13

quienes, sin duda alguna, les interesaba el buen tratamiento del indio.

Ahora bien, el latifundista o encomendero no era el único responsable de la miserable situación del indio ecuatoriano durante el Período Colonial. De un modo paradójico, el clero mantenía dos posiciones contrapuestas: de una parte, realizaba un esfuerzo para convertir al indio al cristianismo; por la otra, eran responsables del crimen de explotación indígena. Llenos de avaricia, muchos clérigos engañaban a los asustados, inocentes indios, bajo el disimulo del catequismo. Juan Comas, en sus *Ensayos sobre indigenismo,* ha declarado:

> ...hubo muchos frailes y sacerdotes que, en vez de trabajar en la conversión del indio de acuerdo con su sagrado ministerio, orientaron sus actividades hacia fines de orden material, que desprestigiaron (en parte, por lo menos) su gestión, motivando quejas y protestas muy justificadas.[7]

A este crítico se une Jaramillo Alvarado, declarando que el clérigo suplantó al soldado, al latifundista y al representante español de la corona real de España.[8] Durante la exégesis de la primera parte de este estudio, podremos indicar ejemplos de esta conducta por parte del clero y de la aristocracia rural. Señalaremos el cambio que estos núcleos experimentaron al pasar de elementos interesados en la ayuda indígena para constituir, en el presente siglo, sus más despiadados enemigos.

Las Guerras de la Independencia que se extendieron por todo el continente durante los primeros veinticinco años del siglo pasado trajeron como resultante el establecimiento de repúblicas soberanas, celosas de establecer su independencia frente a España, y a olvidar, quien más quien menos, las opresiones serviles de parte de los españoles. En 1822, el Ecuador logra su independencia del yugo tiránico del sistema colonial español. Durante los ocho años que siguen, este país se halla integrado a Colombia y Venezuela para formar la Gran Colombia —la confederación soñada por Simón Bolívar. Finalmente, en 1830, el Ecuador se independiza de los otros países de la confederación, y desde esa fecha, se ha quedado una república.

Las condiciones económico-sociales del indígena ecuatoriano no fueron profundamente modificadas debido al resultado de las guerras con España.[9] En realidad, lo único obtenido fue la independencia política de la madre patria, ya que ciertas instituciones sociales, tales como el sistema de encomiendas fueron, y aún son desgraciadamente, mantenidas en toda su vigencia social. Lo único que cambió fue el nombre: de encomienda se pasó a *concertaje*. El célebre crítico y autor ecuatoriano Angel F. Rojas ha definido el concertaje del siguiente modo:

> El «concertaje» tenía la forma de un contrato de trabajo celebrado entre el amo y el indio, ante una autoridad de policía, que estipulaba el pago de un salario diario de *cinco centavos*, por cada jornada de labor, pagaderos mensual o trimestralmente... Pero como para sostenerse el indio y su familia la suma devengada en su trabajo era irrisoriamente insuficiente, tenía necesidad de endeudarse con su patrón, recibiendo anticipos en dinero y especies, año por año, mes por mes, que se conocen en el lenguaje campesino como «socorritos». Toda vez que los gastos de manutención del indio eran con mucho superiores a sus entradas, la deuda iba creciendo paulatinamente. El «peón concierto» se envejecía trabajando en el feudo, y al morir, dejaba todavía una deuda. Deuda que se cargaba inmediatamente en la cuenta de sus herederos. El hecho se repetía de una generación a otra.[10]

De este párrafo podemos sacar una conclusión penosa: tanto en la encomienda como en el concertaje —a pesar de haber transcurrido más de un siglo— el indio fue considerado como un ser al cual cabía explotar. A pesar que este último sistema no tiene cabida dentro del código legal desde principios de este siglo [11] —del mismo modo que toda la legislación injusta existente en el pasado—, la práctica presente no permite atestiguar lo cambiado jurídicamente. Hoy día, algunas partes interesadas siguen explotando al indígena del mismo modo que antaño.[12]

Hemos visto que a través de la pre-Conquista y la Conquista, del período colonial y de la república, el nativo ecuatoriano se ha hallado sometido al mismo miserable trato social. Su posición pacífica le ha relegado a una posición de mártir, de asceta explotado. Juan Montalvo, uno de los paladines de las letras ecuatorianas del siglo XIX, aspiró a escribir un libro relacionado al triste estado del indio de su país. En su tratado, *El espectador*, exclamó: «¡Inocente, infeliz criatura! Si mi pluma tuviese don de lágrimas, yo escribiría un libro titulado *El Indio,* y haría llorar al mundo.» [13] ¿Se ha escrito todavía tal libro? Una investigación centrada en contestar esa pregunta daría como resultado los nombres de varios autores y obras que han plasmado el espíritu de la obra que ambicionaba escribir Montalvo. Especialmente encontraríamos que casi la mayoría de estos escritores, llamados *novelistas indigenistas,* provienen de la literatura ecuatoriana.

Antecedentes literarios

La novela realista-regionalista de Hispanoamérica

La novela realista del siglo XX de Hispanoamérica debe mucho su presencia actual a la novela realista-regionalista del siglo XIX en España.[14] Fue a partir de los deliciosos *cuadros de costumbres* —bocetos de la vida y los problemas de la España del siglo pasado— que la novela realista española emergió por medio de un proceso de ampliación temático-estilística.

El novelista realista en España se dedicó a interpretar el alma de su *patria chica* —su región local, su provincia o pueblo. Esto se efectuó por medio de descripciones detalladas del medio ambiente. Así, Juan Valera nos ofreció el mundo encantador de Andalucía y José María de Pereda nos descubrió el mundo hermético y provincial de Santander, dentro del cual situó a sus personajes. Dentro de este grupo, España nos ofreció al más destacado novelista del período —Benito Pérez Galdós, el español universal. Al considerar la gran diversidad topográfica presente en la obra de estos escritores, las diferencias lingüísticas presentes en sus personajes, sus tradiciones peculiares y sus temperamentos inherentes, no puede el lector sino concluir que fue un proceso natural el que llevó a España a inspirar a estos autores.

Es cierto que el realismo europeo había empezado a influir la novelística hispanoamericana desde 1862 —fecha de la publicación de *Martín Rivas,* obra documental de la sociedad chilena, escrita por Alberto Blest Gana. Sin embargo, la novela realista-regionalista de la América hispánica no tiene su mayor desarrollo hasta la primera mitad del siglo actual.[15] Es entonces que los escritores hispanoamericanos se vierten en busca de fuentes proporcionadas por el medio ambiente —la tierra y sus habitantes naturales. Del mismo modo que

16

los novelistas españoles habían reaccionado frente a un mundo subjetivo y visionario presente en la poesía romántica, así los autores del Nuevo Mundo iban a establecer un contenido social, oponiéndolo a la fragilidad del modernismo poético.

Los nuevos caudillos de la novela en la América hispánica buscaron en el medio ambiente de sus propios países la motivación, y a veces, la justificación para su creación. La búsqueda resultó muy breve. Un mundo injusto, basado en una estructura social desigual, inmediatamente atrajo su atención. A la detallada descripción de dicho mundo se concentraron, dando como resultado, una generación de escritores que anhelaban una mejor sociedad, basada en la justicia social. Y no debe sorprender que tal vez el tema más fecundo de la novela nueva fuera la vida miserable del indio y las injusticias cometidas en su contra, en especial en los países en los cuales la población era cuantiosa.

Esta generación de novelistas tenía un antecedente. Una mujer peruana, Clorinda Matto de Turner, había escrito una novela titulada *Aves sin nido* en 1889, en la cual se presentaba al indio peruano como una víctima de la explotación dentro de la sociedad que le encierra. En esta obra, el propósito que guiaba a la autora fue doble: didáctico-evangélico.

A esta escritora sigue el famoso novelista mexicano, Mariano Azuela. En su obra cumbre, *Los de abajo* (1915), considerada por muchos como la mejor novela de la Revolución Mexicana de 1910-1920, el novelista dramatiza la vida social del campesino o peón, tan injustamente tratado por «los de arriba» y abandonado sin tierra y sin derecho. Inspirados artísticamente por el fuerte y vivo realismo de Azuela, y, al mismo tiempo, muy animados por los resultados de esa Guerra Civil —sobre todo, la promesa de establecer, por fin, un programa de reforma agraria equitativa, y de garantizar cierta justicia social para el pueblo —los nuevos novelistas vieron la oportunidad de relacionar este tema a sus propias sociedades.

Como es lógico de esperarse, esos países que tienen poblaciones predominantemente indígenas (Bolivia, el Ecuador, el Perú) han producido los *novelistas indigenistas* más importantes. En Bolivia, el mejor representante de esta literatura social es Alcides Arguedas, conocido principalmente por su obra maestra, *Raza de bronce* (1919), en la

17

cual nos da una descripción muy gráfica de la vida sórdida del indio boliviano. En el Ecuador, tenemos a Jorge Icaza, sin duda la figura más destacada de la novela social. Su primera novela, *Huasipungo* (1934), queda hasta la fecha la mejor obra que se ha escrito sobre el indio hispanoamericano. En el Perú, Ciro Alegría ha tenido mucho éxito en el campo de la *novela indigenista*, sobre todo, en *El mundo es ancho y ajeno* (1941). En cada una de las novelas ya mencionadas, se puede ver muy claramente que estos escritores, dedicados a la interpretación de sus culturas respectivas, han creado unas obras que son sociológicas, más bien que estéticas, hecho que no sorprende mucho, debido a los temas tratados en ellas. Ni le extraña mucho al lector encontrar una cantidad de palabras indígenas, así como un gran número de expresiones no refinadas, ya que el *novelista indigenista* ha tratado de dar cierto sabor autóctono a su labor. Así es que le falta a este tipo de novela realista toda afectación, todo artificio literario. En su lugar, hay un estilo bastante sencillo y natural, pero, a la vez, muy eficaz.

Aunque los *novelistas indigenistas* han escrito obras en defensa del indio de la América hispánica, hay que añadir que la novela de protesta social no fue la única forma de la novela realista-regionalista en la literatura hispanoamericana contemporánea. Al mismo tiempo se iniciaba un tipo de novela que nos presenta al hombre en una lucha constante contra la naturaleza salvaje —tema que se desarrollaba muy fácilmente, a causa de los varios contrastes climáticos que caracterizan las repúblicas hispanoamericanas. Incluidos en este grupo de «novelistas de la tierra» son: José Eustasio Rivera (Colombia), Ricardo Güiraldes (Argentina), Rómulo Gallegos (Venezuela), y Ciro Alegría (Perú). *La vorágine* (1924) de Rivera describe muy a lo vivo la selva colombiana, que se traga de un modo vertiginoso a unos caucheros desgraciados. En esta obra, la naturaleza, en toda su furia, existe como el verdadero protagonista. Se le recordará siempre a Güiraldes por su pintura diestra del gaucho legendario y algo idealizado de la pampa argentina. Por estilizado que sea el gaucho representado en *Don Segundo Sombra* (1926), el lector saca mucho deleite al compartir las aventuras de este nómada, quien ama intensamente su libertad e independencia, a pesar de tener que soportar las severidades de la pampa inmensa e interminable. Rómulo Gallegos, antiguo Presidente de Venezuela (1947), también ha tenido mucho éxito como novelista. Su obra maestra, *Doña Bárbara* (1929), nos da una descripción muy realista de la barbarie de los estériles llanos venezolanos, y de las constantes victorias de éstos sobre el hombre. Por último, Ciro Alegría, en su bien conocida *La serpiente de oro* (1935), cuenta la historia de la desdichada existencia del indio peruano, quien lucha para salir vivo de los rigores causados por la naturaleza bravía, especialmente el de las aguas furiosas del traidor río Marañón.

En resumen, se puede decir que la novela realista-regionalista contemporánea de la América hispánica, influida durante su infancia por su equivalencia en la literatura española peninsular del siglo XIX, siguió dos caminos: 1) la novela de protesta social, en la cual los novelistas revelan las injusticias sociales, económicas y políticas (sobre todo, las contra el indio) cometidas por la sociedad hispanoamericana, y ruegan que se remedien, y 2) la novela de la tierra, en la cual los autores, principalmente sudamericanos, presentan la lucha eterna entre la naturaleza salvaje y el hombre —lucha en que éste, por lo general, pierde. En la mayoría de estas novelas, la tragedia es un elemento siempre presente.[16] Sin embargo, bajo los lienzos de desaliento y desesperación pintados por los novelistas, existe muchas veces cierto tono de optimismo. Y, al fin y al cabo, tanto la esperanza para el porvenir de Hispanoamérica como la riqueza actual de su novela contemporánea se deben, en gran parte, a los esfuerzos de estos novelistas realistas-regionalistas, conocidos como hombres de letras asimismo que defensores de la justicia social y la dignidad humana.

La novela realista en el Ecuador

La novela es sin duda el género de más importancia y prestigio de la literatura ecuatoriana del siglo XX.[17] A partir de principios del siglo, desde la publicación de la obra *A la costa* (1904), por Luis A. Martínez, en la cual tenemos un panorama de la Costa y Sierra ecuatorianas, cada cual con sus propios tipos y tradiciones, la novela realista se lleva las palmas en el Ecuador.

Dentro de la novelística realista ecuatoriana, la novela de protesta social llega a ser muy importante poco después de publicarse una antología de cuentos, *Los que se van* (1930). Dicha obra era producto de tres autores: Enrique Gil Gilbert, Joaquín Gallegos Lara y Demetrio Aguilera Malta. En ella tenemos veinticuatro cuentos, cuya temática gira en torno a un crudo realismo que refleja el medio, las costumbres, el folklore, el lenguaje, y la trágica existencia de los personajes que están encerrados en ese medio.

Enmarcando históricamente la aparición de *Los que se van* y, subsecuentemente, la de la novela de protesta social, hay dos constantes complementarias: la Revolución Mexicana —presente en la obra de Mariano Azuela ya mencionada— y la Revolución Rusa de 1917. Los novelistas ecuatorianos volvieron los ojos, esta vez con más ahínco, a las clases sociales de condición baja. Sus obras se propusieron —directa o indirectamente— servir como instrumentos de reforma.[18] Ya no cabía la literatura desinteresada; había que tomar partes y posiciones, había que comprometerse. Sus inspiradores pertenecían a todas clases y a todos medios: desde Freud hasta Marx, desde Gogol hasta Dostoievsky. Unos fueron militantes dentro del marxismo; otros lo fueron de sus propias creencias y posiciones. Se mezcló el estudio antropológico de carácter sexual con la utopía de una sociedad sin clases. En resumen, la novela ecuatoriana llegó a ser depositaria de un contenido histórico-social, más bien que obra de ficción bien labrada.

Al discutir la nueva novela ecuatoriana, autóctona y revolucionaria a la vez, se suele dividir las novelas en dos grupos geográficamente, según la temática y la región nativa del novelista: el Grupo de la Costa, con la ciudad de Guayaquil como su centro, y el Grupo de la Sierra, compuesto de escritores de Quito. Sean de Guayaquil o de la capital, los novelistas de ambos grupos se dedican a un objeto común: reflejar a través de sus novelas —obras de denuncia, de grito, de unidad telúrica— el trágico destino de las masas explotadas que forman la base de la pirámide social ecuatoriana en el siglo actual.

El tema predilecto de los escritores del Grupo de Guayaquil es el sufrimiento del *montuvio*, quien constituye numérica y étnicamente un elemento muy significativo en la región tropical de la Costa. El montuvio ecuatoriano representa una rara e interesante mezcla de razas. Tiene fama de ser aproximadamente 60 por ciento indio, 30 por ciento negro y 10 por ciento blanco. En sus novelas, los novelistas de la Costa se interesan principalmente en pintar, de un modo muy realista, los problemas sociales, psicológicos y políticos del montuvio.

Algunos de los miembros más destacados de la «Escuela» de Guayaquil, con sus novelas más representativas, son: Demetrio Aguilera Malta, *Don Goyo* (1933); Alfredo Pareja Díez-Canseco, *El muelle* (1933); José de la Cuadra, *Los Sangurimas* (1934); Enrique Gil Gilbert, *Nuestro pan* (1941). Ya que la novela en el Ecuador ha llegado a ser, en gran manera, sinónima con historia social, no extraña que muchos de estos escritores sean comunistas o socialistas, y que utilicen la novela para adelantar los fines de sus ideologías políticas. Sus novelas, también como sus cuentos, invariablemente tienen un tañido típicamente ecuatoriano, que hace recordar el tono y el tema de la obra iniciadora, *Los que se van.* Así es que en las descripciones de las malas condiciones en que vive el montuvio de la Costa, estos escritores del Grupo de Guayaquil pintan unos espantosos cuadros de incesto, de violación, de prostitución, de ilegitimidad y de alcoholismo.

Los novelistas del Grupo de Quito han adoptado, de un modo militante, la causa socialista de tanto el indio como el *cholo,* o mestizo, de la región andina. Sus novelas sumamente realistas (y, a veces, bastante naturalistas), con los mismos malhechores y víctimas, presentan una descripción de un mundo primitivo, en el cual el explotador y el explotado están eternamente ligados. En sus obras, se trata de analizar crítica y objetivamente la estructura imperfecta y desigual que caracteriza la sociedad ecuatoriana. En su deseo de describir abiertamente los problemas sociales y psicológicos del indio miserable y del trágico cholo frustrado de la Sierra, los novelistas del Grupo de Quito insisten en sus obras que el indio del latifundio es mucho más que una bestia, y que el mestizo de las ciudades representa potencialmente un elemento de buen éxito para la vida social y política de la nación. Numéricamente, la producción literaria de los novelistas indigenistas de la «Escuela» andina no ha sido tan grande como la de sus socios de la Costa. Sin embargo, la novelística de aquéllos no ha resultado ni inferior ni menos popular que la de éstos.

Los novelistas del Grupo de Quito, que han cultivado y perfeccionado la *novela indigenista,* le deben mucho por su éxito al precursor del género en el Ecuador —Fernando Chaves. Chaves, en su *Plata y bronce* (1927), nos da un cuadro de costumbres muy convincente de la miseria, del sufrimiento, y de la explotación humana de la

Sierra ecuatoriana. Los representantes más importantes de la «Escuela» de Quito, asimismo con sus mejores obras, son: Humberto Salvador, *Camarada* (1933); Jorge Fernández, *Agua* (1936), y el más ilustre de toda la novelística ecuatoriana —Jorge Icaza, *Huasipungo* (1934).

NOTAS

[1] Con relación a los antecedentes históricos del Ecuador, dos monografías han resultado especialmente valiosas en el presente estudio: 1) Pío Jaramillo Alvarado, *El indio ecuatoriano* (Cuarta edición; Quito: Casa de la Cultura Ecuatoriana, 1954), y 2) Moisés Sáenz, *Sobre el indio ecuatoriano y su incorporación al medio nacional* (México: Publicaciones de la Secretaría de Educación Pública, 1933). Se considera a Jaramillo Alvarado como la autoridad más destacada sobre el problema del indio en el Ecuador, mientras que Sáenz ha sido miembro de una comisión internacional que visitó varios países en la América Central y en la América del Sur para estudiar la situación social de las masas indígenas en esas regiones. Ambos libros contienen fotografías excelentes de distintos tipos indígenas y de los diversos modos del vivir autóctono.

[2] Poco después de ultimar las Guerras de la Independencia, el célebre poeta ecuatoriano José Joaquín Olmedo presenta, muy eficazmente, en su poema, *La victoria de Junín: Canto a Bolívar* (1825), la sombra de Huaina-Cápac, dirigiéndoles la palabra a las tropas sudamericanas antes de empezar la batalla decisiva de Junín contra los españoles en el año 1824. En la oda heroica de Olmedo, escrita para cantar las hazañas de Simón Bolívar, el gran Libertador, el Inca venerado aparece gloriosamente en la escena con el fin de profetizar la victoria para los hijos de América.

[3] La familia incaica era patriarcal. El casamiento era obligatorio, pero generalmente había completa libertad en la selección de esposos.

[4] En su artículo, "El indio en el Ecuador", *América Indígena*, IX (1949), 210, Gonzalo Rubio Orbe da testimonio de la felicidad relativa del indio ecuatoriano antes de la Conquista: "El indio de aquella época fue feliz y estaba encuadrado en un marco cultural estructurado y de grandes cualidades."

[5] Rubio Orbe, *op. cit.*, págs. 211-212, considera el Período Colonial en el Ecuador una lamentable época de esclavitud para el indio. "En la Colonia el indio tuvo que adaptarse bruscamente a un sistema que reconocía, ante todo, el *mío* y el *tuyo*; en esta adaptación, fue arrojado a una situación por demás desventajosa; fue desalojado de sus mejores y más productivas tierras. Cuando más humana fue su condición, se le permitió vivir adherido a tierras estériles, donde no pudo obtener producción suficiente para satisfacer sus necesidades, porque la tierra no rendía, o porque el Español no le dejaba tiempo para su trabajo. En los otros casos, los Indios quedaron transformados, en realidad, en esclavos de los Españoles, aunque en teoría se desconoció, o mejor se negó, la existencia de este sistema." Jaramillo Alvarado, *op. cit.*, pág. 11, se suscribe a la opinión que se refiere a las relaciones entre los españoles y los indios durante la época colonial en el Ecuador: "Sobre el indio ha gravitado todo el peso del régimen colonial español. El indio fue despojado de sus tierras y de su dignidad de hombre, y reducido a la miseria y la servidumbre. El indio ha sido el esclavo del feudalismo español en América. En la organización del trabajo servil, el indio agonizó y se extinguió en gran porcentaje, como peón concierto en las haciendas, como mitayo en las minas y los obrajes, como bestia de servicio y de carga en todas partes."

[6] Jaramillo Alvarado, *op. cit.*, pág. 28. "El encomendero salía por los campos e iba entregando despóticamente a los indios, tejidos de terciopelo, medias de seda, navajas de afeitar, plumas, papel blanco, barajas, libros, comedias, aguardiente y aceitunas, y, para completar tan bella carga, repartía, además, una mula, que en la primera oportunidad era reclutada. Los precios imponía el amo; y, andando, a pagar la deuda o a la cárcel."

[7] Juan Comas, *Ensayos sobre indigenismo* (México: Instituto Indigenista Interamericano, 1953), pág. 127.

[8] Jaramillo Alvarado, *op. cit.*, pág. 29.

22

⁹ Alberto Zum Felde, en su estudio, *Indice crítico de la literatura hispanoamericana* (2 vols.; México: Editorial Guaranía, 1959), II, 254-255, afirma: "La República no cambia fundamentalmente... la situación social del indio. A la falsa tutela teórica de las leyes de Indias sucede el falso derecho teórico de las Constituciones; pero el indio sigue prácticamente al margen de la sociedad y del Estado, sometido al mismo régimen de servidumbre en haciendas y minas; el gamonal, terrateniente, perpetúa al encomendero bajo idéntico régimen de despotismo feudal."

¹⁰ Angel F. Rojas, *La novela ecuatoriana* (México: Fondo de Cultura Económica, 1948), pág. 28.

¹¹ *Ibid.*

¹² Bernard M. Dulsey, "Jorge Icaza and his Ecuador", *Hispania*, XLIV (1961), 100, señala que la novelística de Icaza refleja fielmente que la explotación del indio por medio del concertaje subsiste aún hoy día en el Ecuador. "...the conditions pictured in his [Icaza's] works still largely obtain, as any recent visitor to Ecuador can testify. Even in the last few years there have been advertisements in Ecuadorian newspapers for the sales of haciendas, with the peons included!"

¹³ Juan Montalvo, *El espectador* (París: Casa Editorial Garnier Hermanos, 1927), pág. 308.

¹⁴ Para una comprensión global de la novela hispanoamericana en general, véanse las siguientes obras: Fernando Alegría, *Breve historia de la novela hispanoamericana*, México: Manuales Studium, 1959; Luis Alberto Sánchez, *América, novela sin novelistas*, Santiago de Chile: Ediciones Ercilla, 1940, y también su *Proceso y contenido de la novela hispanoamericana*, Madrid: Editorial Gredos, 1953; Arturo Torres-Ríoseco, *Grandes novelistas de la América hispana*, Berkeley y Los Ángeles: University of California Press, 1949, y *La novela en la América hispana*, Berkeley y Los Ángeles: University of California Press, 1949; y Arturo Uslar Pietri, *Breve historia de la novela hispanoamericana*, Caracas: Ediciones EDIME, 1954.

¹⁵ Aunque la novelística hispanoamericana ha logrado formas más amplias y universales en los últimos veinte años, la narración nacionalista o regional continúa teniendo hoy destacados expositores.

¹⁶ En su libro, *Contemporary Spanish-American Fiction* (Chapel Hill: University of North Carolina Press, 1944), pág. 13, Jefferson R. Spell caracteriza el sentimiento trágico de la moderna novela hispanoamericana. "It can hardly be hoped that the calm, peaceful atmosphere of the best type of American home will prevail... or that the man content with his role in life and playing it to the best of his ability will frequently figure here. Nor can we reasonably expect a preponderance of scenes of beauty rather than ugliness; of portraits of noble rather than weak or cruel beings; or stories blessed with happy endings rather than crowned by defeat."

¹⁷ Para una exposición especializada de la novela ecuatoriana contemporánea, véanse los siguientes estudios: Ángel F. Rojas, *La novela ecuatoriana* (México: Fondo de Cultura Económica, 1948); Benjamín Carrión, *El nuevo relato ecuatoriano* (Quito: Casa de la Cultura Ecuatoriana, 1950); Kessel Schwartz, "The Contemporary Novel of Ecuador" (disertación doctoral inédita escrita para Columbia University, 1953), así como el artículo de Schwartz, "Some Aspects of the Contemporary Novel of Ecuador", *Hispania*, XXXVIII (1955), 294-298.

¹⁸ La novela ecuatoriana de esta época no fue la única que tratara de relacionarse íntimamente con los problemas sociales. Acuérdese el lector de nuestra exposición previamente establecida en el presente capítulo, en la cual hemos señalado que la obra maestra de la novela de la Revolución Mexicana —*Los de abajo*— de Mariano Azuela, había influido en muchos novelistas de protesta social en Hispanoamérica.

Capítulo II

JORGE ICAZA: VIDA Y OBRA

Nuestro autor nace en Quito el 10 de julio de 1906. Sus padres fueron don Antonio Icaza Manzo y Carmen Coronel Pareja. El padre de Icaza muere cuando éste contaba cuatro años de edad. Al casarse su madre nuevamente, nuestro autor sufre la influencia de su padrastro, un hombre de un fuerte idealismo liberal en el campo de la política.

El año de 1915 es de capital importancia en la biografía de Jorge Icaza. En ese año interrumpe su educación primaria en una escuela parroquial y se traslada con sus padres al latifundio de su tío materno, don Enrique.

Existe un testimonio de Jorge Icaza en el cual declara que fue allí, en esa propiedad, y a lo largo de dos cruentos años de desolada experiencia, en donde se revelaron los frecuentes y brutales actos opresivos de la aristocracia rural en contra del indio. Estas primeras experiencias impresionaron profundamente al futuro autor de novelas indigenistas. Lo declara sin preámbulos: «Recibí muchas impresiones de las injusticias que se cometían con los indios de parte de mayordomos y de administradores. En gran parte son las que me sirvieron y las que me sirven para mis novelas».[1]

A su regreso a Quito, Jorge Icaza reanudó sus estudios en el Colegio Nacional Mejía. Fue en esa institución jesuita en donde mostró una madurez intelectual avanzada para su edad. Terminó su bachillerato en 1923. Decidió estudiar medicina en la Universidad Central, convencido de que una preparación universitaria le capacitaría mejor para propagar ciertas convicciones proletarias que habíanse sembrado en su ser desde su niñez. Desgraciadamente para sus planes de ese tiempo —y afortunadamente para el mundo literario— no pudo terminar sus estudios universitarios. La muerte de su madre, seguida en corto tiempo de la de su padrastro, le dejó sin el soporte económico necesario para continuar su carrera universitaria. Después de trabajar en varios empleos públicos —todos insubstanciales para su espíritu creador— obtuvo una posición de traductor de obras dramáticas: del francés al español. Esta encrucijada del destino le llevó a ser actor de primera categoría, director y dramaturgo, todo sucesivamente. Su producción consiste en siete piezas: cuatro de tres actos, y tres de un sólo acto. En esa temprana producción, Icaza alentaba una temática freudiana, como característica interna, y una estructura influenciada por el teatro francés y español. Sin embargo, su teatro de esa época contenía la semilla que daría con el tiempo el fruto sazonado de su novelística: el conocimiento muy íntimo de los problemas psicológico-sociales de las clases bajas del Ecuador. Estas primeras armas se intitulaban *El intruso* (1929), *La comedia sin nombre* (1930), *Por el viejo* (1931), *¿Cuál es?* (1931), *Como ellos quieren* (1932) y *Sin sentido* (1932).

En 1933, Icaza abandona su producción dramática para concentrar la atención en la narrativa. De ese mismo año es su primer volumen de cuentos, titulado *Barro de la sierra*. En esta selección de seis narraciones tenemos la misma temática que existía en sus obras dramáticas: la polaridad y tensión existente entre la aristocracia feudo-terrenal —apoyada por el clero— y los desgraciados y oprimidos indios y cholos. Esta problemática se desenvuelve entre el ambiente primitivo del latifundio y la hostilidad urbana de la metrópoli. Una vez leídos los cuentos de Icaza, uno se queda con la firme convicción que nuestro autor ha logrado su propósito: convencer al lector que la situación descrita debe cesar. Por lo demás, basta leer los títulos de las narraciones de esa obra para poder intuir el contenido: «Cachorros», «Sed», «Exodo», «Desorientación», «Interpretación» y «Mala Pata». Francisco Ferrándiz Alborz nos ofrece su testimonio estilístico centrado en dicha antología:

En ellos se inicia definitivo el estilo de Jorge Icaza. La autenticidad de un drama humano. Nada de alusiones. Palabra esencial, directa, giro recio, inclemente, de adjetivación igualmente directa. No hay en él perí-

26

frasis divagantes ni balbuceos dubitativos. El estilo de Icaza es natural sin naturalismo retórico, de impulso romántico sin romanticismos decadentes, de realismo subjetivo ante la objetividad del mundo, tendiendo a la unificación del complejo sujeto-mundo en una síntesis de valoraciones transcendentes.[2]

Esta segunda etapa —la de escritor de cuentos— nos muestra un escritor ya maduro, un autor que señala injusticias y padecimientos. Sólo quedaba estructurar ampliamente lo apuntado en sus narraciones cortas, de trazar causas y efectos en un mundo poblado de sinrazones. Su producción novelesca convierte en realidad esta necesidad; es allí en donde él supera, alcanzando su máxima amplitud literaria. La primera novela de Icaza, *Huasipungo*,[3] aparece en 1934, y es esa obra la que alcanza renombre, en Hispanoamérica y en Europa, como fiel representante y acabada expresión de ese mundo en el cual el pathos de la sociedad ecuatoriana moderna está trágicamente pintado. Desde la aparición de *Huasipungo*, considerada por la crítica como la más lograda novela icazana, se han hecho, hasta la fecha, catorce ediciones en español.[4] Su popularidad se ha extendido hasta ser traducida al inglés, francés, italiano, ruso y alemán.[5]

Aunque se considera al novelista ecuatoriano Fernando Chaves («Escuela» de Quito) como el iniciador de la *novela indigenista*[6] en el Ecuador, en virtud de su *Plata y bronce* (1927),[7] no cabe duda de que *Huasipungo* es con mucho el mejor ejemplo de este tipo de novela. *Huasipungo* cuenta, además, con una plétora de artículos y libros de crítica profesional. Por ejemplo, Arturo Torres-Ríoseco considera que esta obra representa un documento social de mucho interés, y que, en ella, el novelista, empleando un realismo raras veces visto en la novelística hispanoamericana, describe dramáticamente el dolor incesante de las masas indígenas de su país.

> *Huasipungo* es la novela de la destrucción del hogar del indio, más aún, de su vida misma; libro negro como una pesadilla, violento, bestial, sangrante... He aquí el intento de rebelión frustrado por las carabinas, el incendio, la muerte; sensualidad que hiede, crueldad que se hace blasfemia, cuadro del espantoso abandono de la raza nativa. Más que literatura esto es denuncia, bandera roja de protesta, llamada de angustia a los hombres que todavía creen en la justicia, en la bondad, en los ideales del cristianismo y de la civilización. Libro vulgar, desvertebrado, antili-

terario acaso, pero rico en sentimiento humano; literatura que demuestra su razón de ser en nuestro continente primitivo en que los hombres son fieras y la naturaleza es la madrastra de los nativos.[8]

Otro crítico, Fernando Alegría, confirma las observaciones de Torres-Ríoseco en su libro, *Breve historia de la novela hispanoamericana.* Aún más, él juzga *Huasipungo* la más efectiva expresión de la *novela indigenista,* usada como instrumento para indicar la necesidad vital de reformas radicales en aquellos países, en los cuales la población indígena es maltratada y explotada.

En 1934 apareció en el Ecuador una novela que marca el fin de la tradición indianista romántica y la culminación de una nueva tendencia indigenista caracterizada por un lenguaje de brutal realismo, por un propósito de intensa crítica social y una ideología revolucionaria cercana al marxismo. Esta novela, titulada *Huasipungo,* consagró internacionalmente a su autor.[9]

Francisco Ferrándiz Alborz, tal vez el crítico que ha dado mayor respaldo al arte de Jorge Icaza, ve la novela como un ejemplo clásico del modo en el cual la prosa ecuatoriana del siglo veinte ha iluminado la tragedia del indio:

...*Huasipungo* continuará siendo el más grande de los testimonios literarios de nuestro tiempo sobre la más grande ignominia de los siglos, la de millones de criaturas que continúan hoy, en el siglo xx, como antes de la Colonia, como durante la Colonia, aplastados por el lodo de la explotación esclavista.[10]

Para concluir, oigamos la voz de Benjamín Carrión, Director de la afamada Casa de la Cultura Ecuatoriana, ya que este autor y crítico nos muestra un aspecto singular en *Huasipungo:* la explotación del indio como medio mecánico, como implemento rudimentario:

Una novela de indios, que sea el gran grito de alarma a la conciencia de los hombres del mundo, sobre una injusticia oscura, sobre una imbecilidad siniestra: la explotación de una máquina humana, el indio, con el mínimum de gasto... Con hambre, con frío, con desnudez... No importa que esa máquina humana produzca poco y mal, no importa que se destruya: el negocio cicateril y tonto consiste en que ese rudimentario implemento de labranza, el indio, no cueste absolutamente nada.[11]

28

Estos autores que hemos citado representan solamente algunas de las muchas opiniones expresadas en favor de *Huasipungo*. Sin embargo, también quisiéramos ofrecerle al lector una opinión adversa, la de E. Suárez Calimano:

Se ve tan a lo lejos en cañamazo conductor del bordado del Sr. Icaza, la intención premeditada, que todo efecto queda destruido por la tendenciosidad meridiana brillante en cada una de las páginas del libro. La exuberancia y tropicalidad de *Huasipungo,* su exceso de tintes, borran los contornos del tema, recargan el ambiente. El afán de convertir cada personaje en símbolo réstales calor humano.[12]

Es debido a esta posición, en la cual se supedita lo estético a favor del elemento social, que Jorge Icaza ha dicho:

Tenía ilusión de que *Huasipungo,* con su protesta tremenda, contribuya —pequeño aporte sentimental de la literatura en las masas— a redimir al huasipunguero. A hacerle conocer en su dolor, en su soledad, en su desesperanza. El indio en el Ecuador sigue en la misma situación. *Huasipungo* tiene una actualidad absoluta aún ahora mismo. Es mi gran éxito literario, pero es también mi gran amargura, algo así como el fracaso de una ilusión.[13]

Esta obra ha sido comparada a la novela *The Grapes of Wrath,* de John Steinbeck. Ambas tratan de injusticias cometidas contra grupos étnicos subdesarrollados, contra sectores sociales que luchan intentando recobrar la tierra que les ha sido quitada, o, en la mayoría de los casos, para retenerla. El profesor norteamericano Jefferson R. Spell ha establecido la siguiente analogía entre estas dos novelas:

Both the North American and the Ecuadorian have espoused in their respective works the cause of the unorganized underprivileged, who have to make their living by the sweat of their brow, and against whom have joined, seemingly with the purpose of exterminating them, both lawmaker and capitalist. Each writer has undertaken to present, through individual circumstances and characters, a problem that actually confronts great bodies of peoples. Although there are vast differences between the protagonists themselves of *Huasipungo* and of *The Grapes of Wrath* —the mistreated Indians as represented by the family of Andrés Chiliquinga, and the Joads of pure Anglo-Saxon stock— they are confronted by a very similar situation, that of being ejected from land to which they had no legal right but which they considered as their own.[14]

El gran éxito y popularidad alcanzados por ambas novelas —traducidas a varios idiomas— nos indican claramente la identificación personal que los lectores han tenido con los protagonistas de dichas obras maestras. Y claro está también que las dos novelas han sido aplaudidas tanto por su contenido social como por su medio artístico de expresión

Ahora bien, repetimos lo que hemos apuntado antes: *Huasipungo* representa lo más acabado de la novelística indigenista de Hispanoamérica. En su posición de «Defensor del indio ecuatoriano»,[15] su autor ha logrado recrear la perspectiva social del siglo XVI en la mente del lector de nuestro siglo. En su posición mesiánica al hacer ver los infinitos males que aquejan a la sociedad ecuatoriana de hoy, ha establecido y descrito las anormalidades de esa desigual estructura social. La posición de Icaza es muy humanitaria; está basada en la esperanza que algún día las clases pudientes reconozcan como sector humano de la sociedad ecuatoriana la pobre y olvidada población indígena que vive tan aislada y desamparada en la Sierra. La posición icazana no es la de ningún anarquista, sino la de un misionero literario y social del siglo actual. Existen algunos críticos que soportan la convicción de que solamente una revolución armada podría cambiar la situación social del indio.[16] En todo caso, ya sea por un reconocimiento humano de las clases afortunadas y poderosas en el Ecuador hoy en día, ya sea por medio de una revolución armada, lo cierto es que la obra de Icaza marcará una etapa profética y humanística.

En 1935, al año de publicar *Huasipungo*, Jorge Icaza nos ofrece su segunda novela, titulada *En las calles*. Esta obra le depara el Premio Nacional Ecuatoriano, otorgado a la mejor novela de año en curso. *En las calles* marca la primera etapa de un proceso evolutivo que se caracteriza por un avance en la técnica del autor. El escenario ha cambiado, de rural a urbano. Se trata de una revuelta localizada en Quito, la capital, e integrada por dos facciones: grupos desorganizados de indios y cholos en un lado, y en el otro, tropas de la milicia, bien equipadas para el choque. Se puede ver muy claramente que *En las calles*, lo mismo que *Huasipungo*, es una novela de tesis. La tesis la constituirán los jefes políticos, los latifundistas y el clero; la antítesis, los explotados indios y cholos. Sin embargo, las circunstancias sociales han cambiado. En *Huasipungo* se hablaba de la destrucción del indio, con el fin de apoderarse de la tierra que habita, esto seguido de una rebelión de parte del explotado. En la novela *En las calles,* se nos presenta la matanza de indios y mestizos, ya que ellos han sido reclutados —con falsas implicaciones— para soportar al egoísta candidato que pretende lograr en la capital el poder político del país. Temáticamente hemos retrocedido: de defensores de su propiedad, pasan a serlo de intereses ajenos. Ferrándiz Alborz ha resumido su opinión de esta última obra del siguiente modo:

> *En las calles* tiende a... reconciliar al hombre consigo mismo, y a dar significación de humanidad a las masas, precisamente presentando los aspectos opuestos de tal finalidad, presentando la irreconciliación del hombre con el hombre presa, y el sentido absorbente, brutal, ancestral, del hombre presa y de las masas, anulando la auténtica personalidad del hombre, hasta dirigirlo contra los propios fines que el hombre se había labrado. Ese es el humor de Jorge Icaza, presentar el contraste de lo que, con una brutalidad espantosa, nos lleva a la meditación de lo que se debe o no se debe hacer, y ésa es su moral: despertar en el hombre el sentido de responsabilidad hacia sus semejantes y hacia sí propio.[17]

Según J. Eugenio Garro, el lector de *En las calles* se siente atraído anímicamente a la tragedia del indio:

«*En las calles,* así como en cualquier otra de las novelas de Icaza, sentimos bajo la punta de los dedos las palpitaciones de la carne, el ritmo con que los personajes y las multitudes ascienden o descienden el clímax de las soluciones que estallan en penachos eléctricos».[18]

En 1936 Jorge Icaza intentó una vez más la expresión dramática de injusticias sociales al escribir su última obra teatral: *Flagelo,* pieza de un acto. Después de esta clausura dramática, reanuda su orientación novelesca, publicando *Cholos* en 1938, *Media vida deslumbrados* en 1942 y *Huairapamushcas* en 1948. Estas obras constituyen una trilogía centrada en la temática psicológica de las taras hereditarias y sociales que han creado una problemática sin solución fácil para el indio y para el mestizo.

La primera obra, *Cholos,* describe, de un modo real y definitivo, la persecución social en la persona del mestizo ecuatoriano: la víctima entre dos fronteras raciales.[19] Aunque el mestizo había estado presente en las novelas anteriores de Icaza, en esta obra se convierte en el centro de interés; su tragedia es la temática del libro. Lo terrible no es el tono acusador del autor —moderado y dúctil en esta novela— sino el peso psicológico que gravita en la posición del mestizo. Por otra parte, en esta novela vemos cuajar un proceso de caracterización que parte de una visión en grupo —la masa-personaje de *Huasipungo*— que toma una caracterización media en *En las calles,* y que alcanza sus contornos definitivos en *Cholos.*

Esta evolución técnica no pasó desapercibida para la crítica existente. Samuel Putnam sería, tal vez, el primero de una serie de críticos que aunarían sus voces para este reconocimiento:

> With three fine novels to his credit, *Huasipungo, En las calles,* and *Cholos,* Icaza now begins to stand out as one of the world's master writers, with whom the creation of masterpieces is almost a habit. It is significant that, with each novel that he produces, he seems to have reached a creative high point, and yet, with each succeeding one, he appears to surpass himself, leaving his admirers and interpreters to wrangle among themselves as to which is, in reality, his *chef d'oeuvre.* Many will still vote for *Huasipungo;* yet they must admit that *Cholos* in many respects exhibits a finer, more mature art and technique.[20]

En 1947, J. Eugenio Garro aunó sus elogios a los de Putnam, al declarar abiertamente:

> Esta novela es seguramente una de las bellas entre las obras de Icaza, la de estructura más equilibrada y compleja y, acaso, la que mejor pone en juego los resortes del corazón humano y, al mismo tiempo, la que perfila mejor los conflictos de América. Toda ella da la sensación de una orquesta que desenvuelve temas irónicos, contrapuntos burlescos, acordes lúbricos, apasionados, lastimosos y que al llegar a las páginas finales, se resuelve en el ritmo acompasado de los caballos que marcan la progresión de las cumbres. Llevan el impulso de la acción. La belleza del gesto que une al cholo y al indio se ilumina de súbito y se hace visible a los resplandores de una aurora roja. El paso de los caballos acompaña la melodía del orto.[21]

El lector descubre, en un toque último y definitivo, el mensaje central de *Cholos.* Nos limitamos a destacar esta técnica, ya que permite que el lector se forme su propia conclusión a lo largo de la obra. Allí, en el último capítulo, titulado «Amanecer», Guagcho y José —cholo e indio, unidos por primera vez— juntan sus esfuerzos para encontrar a Lucas, el personaje blanco. Es allí en donde la unidad basada en el amor y en la comprensión se realiza finalmente.

32

Media vida deslumbrados (1942) ocupa el segundo lugar en la trilogía ya mencionada. Continuando con la temática de «pundonor social», esta obra nos presenta al cholo Serafín Oquendo, víctima de la odisea que sobrelleva cuando su madre —quien está obsesionada al querer formarle física y socialmente— intenta integrarlo a la esfera preponderante del blanco. La novela describe la tragedia de Serafín, su personalidad alterada por los complejos sociales, su desajuste psicológico y, finalmente, su propio hacerse al estar libre, por primera vez, de la dominación materna. Al leer en la novela que el hecho de sentirse padre Serafín le crea el mismo complejo que dominaba a su madre, hemos caminado por un círculo completo. Está bien claro que Serafín como padre quiere imponer sobre su hijo varón el único camino que él cree conveniente. Este atentado trae como resultado la muerte de la esposa de Serafín, víctima de desgaste físico. *Media vida deslumbrados,* así como *Cholos* anteriormente, termina con una nota de esperanza. El mestizo podrá sobrellevar la vida elegida a un precio fijo: el permanecer culturalmente miembro y parte íntegra de la clase de los cholos; no puede aspirar a trasponer los límites de esa clase. Usando las palabras del novelista en las últimas líneas de la novela: «Serafín, cansado de hablar, respiró profundamente, abandonó el refugio y se perdió por el camino bañado de sol, sintiendo a la vida llena de perspectivas atrayentes y temerarias, con el placer de encontrarse reintegrado al gran torbellino de los suyos».[22]

Huairapamushcas (Quechua: «Hijos del viento»), escrita en 1948,[23] representa otro eslabón en la producción literaria de Icaza. En esta obra, vemos al indio ecuatoriano luchando contra dos frentes simultáneamente: por un lado, con el jerarca blanco y con cholo oportunista, y por otro, con la naturaleza inclemente. A pesar que esta novela surge de la posición de novela de tesis social, apunta más lejos en su estructura externa. En esta novela tenemos seis capítulos estructurales: «La longa Juana», «Yatunyura y Guagraloma», «Huairapamushcas», «A la luz de nuevos perfiles», «Sueltos de la mano de Dios» y «Frente a frente». Queremos señalar otra diferencia fundamental entre las novelas que precedieron y ésta: el indio que vemos aquí es miembro de una comunidad que conlleva una estructura similar a la llevada por sus antepasados antes de la Conquista. Es en esta estructura pretérita en donde el novelista sitúa el conflicto social entre el blanco omnipotente

33

y el cholo, convertido en un ente con nociones de superioridad sobre el indio, por una parte, y por la otra, al indio segregado.

En 1952, nuestro novelista vuelve sobre sus cuentos y publica una colección de seis narraciones. Estos cuentos conllevan la misma temática que los ya escritos en *Barro de la sierra*. En la primera edición, estas narraciones tenían como título *Seis relatos,* pero al editarse nuevamente, se titularon *Seis veces la muerte,* hecho no poco significativo.

En el año 1958 aparece la novela más reciente de Jorge Icaza —*El chulla Romero y Flores*[24]— coronando una trilogía compuesta por las novelas pretéritas *Cholos* y *Media vida deslumbrados,* ya mencionadas. La obra tuvo una acogida excepcional, y en seis meses se agotó la tirada inicial. El año siguiente, apareció una segunda edición, editada por la casa ecuatoriana Rumiñahui. Una vez más Icaza prosigue su cruzada para desenmascarar la injusticia social. Sin embargo, el indio per se no es el protagonista de esta obra. Convive, eternamente presente, en el conflicto psicológico del personaje principal, el chulla Luis Alfonso Romero y Flores.

El chulla Romero y Flores representa la culminación de la obra literaria de Icaza en cuanto a caracterización: el protagonista reencarna toda clase de conflictos, tensiones y frustraciones internas, debido a su posición de enajenado dentro de una sociedad discriminativa. Esta culminación psicológica tiene sus antecedentes directos en sus caracterizaciones cristalizadas en los siguientes personajes: Guagcho *(Cholos)*, y sobre todo, en Serafín Oquendo *(Media vida deslumbrados)*. Nuestro personaje, el chulla Romero y Flores, es víctima de una amalgamación antitética: su sangre, mezcla de indio y de blanco, palpita en constante conflicto. El fin de esta novela descubre el sentimiento del autor en su calidad de consejero: el chulla Romero y Flores debe escuchar la voz de su sangre indígena, debe ser fiel a ella, no puede prostituirla.

Los protagonistas de la novelística de Icaza se debaten entre un *querer ser* y un *no poder ser:* Dilema existencial que corroe el alma del chulla. Luis Alfonso fracasa en su intento de olvidar su pasado, de querer empezar con un borrón social e histórico.[25] Al querer vivir una vida suplantada de *chulla disfrazado,* llega a ser víctima de una tensión existente entre el mundo de la realidad, del cual viene, y el nimbo ideal, al cual quiere pertenecer: termina siendo una víctima psicótica.

La crítica literaria no ha estado ciega al enfrentarse con la posición trascendental en la cual se ha centrado Jorge Icaza. F. Ferrándiz Alborz ha comparado al chulla de nuestro novelista con el pícaro de la novela española clásica, marcando claramente las confluencias y divergencias básicas:

> Los antecedentes, humanos y psicológicos, y también literarios, por el realismo y la fuerza del estilo, de este personaje, hay que buscarlos, y podemos hallarlos, en la novela picaresca española. El *Lazarillo de Tormes, Guzmán de Alfarache* y el *Diablo Cojuelo,* etc., son los progenitores del chulla Romero y Flores. Toda sociedad en fermentación por desequilibrios de clases, origina estas deformaciones típicas: hombres desorientados por su desarmonía moral con el medio. En el personaje de Icaza vemos la prestancia hispánica y la melancolía mestiza hispano-americana que se anunció en *El Periquillo Sarniento,* del mexicano José J. Fernández de Lizardi... y en los personajes de las *Tradiciones Peruanas* de Ricardo Palma. Pero además, como tipo desheredado de nuestro tiempo, la ira, el grito, la protesta, la rebeldía. El pícaro español del siglo XVI vivía conforme a su destino en un medio de predestinaciones teológicas, mientras que el pícaro quiteño del siglo XX rebulle indignado contra unas condiciones de vida que él no ha creado y que le impiden afirmar su vida. El español era pústula de una patología social y nacional, el quiteño es una herida que grita rebeldías.[26]

A pesar de que nos subscribimos a la opinión de este crítico, queremos hacer notar algunas diferencias fundamentales. No vemos en la novela de Icaza la narración autobiográfica, la estructura basada en una serie de episodios, la motivación dinámica del hambre, y finalmente, los sucesivos cambios de amo a los cuales el pícaro típico sirve.

El profesor Kurt L. Levy ha comparado la forma artística y la temática entre *Huasipungo* y *El chulla Romero y Flores.* Su conclusión es la siguiente:

> Icaza's latest novel displays the keen powers of observation, description and true-to-life dialogue as well as that intense social consciousness which marked *Huasipungo.* Yet, while the latter's social message engulfed its entire plot and its relentless gloom encroached upon its artistic essence, the former achieves a clear aesthetic identity through its variety in human experience and maturity of stylistic shading.[27]

El enredo de *El chulla Romero y Flores* es directo, simple en su exposición, y complejo en sus alcances. Tiene como factor común con su novelística previa el mismo ambiente nacional y, sobre todo, los personajes reales de la sociedad contemporánea del Ecuador. Sin embargo, el autor ya no es, en su última etapa, el apasionado y vibrante defensor del indio de *Huasipungo.* Es fácil ver que el novelista ha crecido, al dejar hablar a sus personajes. Por otra parte, su obra ha evolucionado desde una masa presente en *Huasipungo,* hasta introducirse en el mundo subjetivo de personajes existenciales: ha sido un adentrarse y ahondar.

En resumen, podemos acertar que el estilo de Icaza, que, en realidad, se ha cambiado muy poco desde los comienzos de su producción literaria, se caracteriza por ser directo, sencillo, libre de toda afectación, y algo tosco, debido a su intento de reproducir fielmente el habla popular de su mundo quechua. Mucho de esto se refleja en el siguiente rétrato de la personalidad del novelista mismo:

> Jorge Icaza es franco, alegre, buen conversador, ágil para la anécdota y lleno de malas palabras. Es un extravertido, sincero, con sinceridad campechana y suelta... El le llama pan al pan y sea quien fuese la persona con la que conversa, no adquiere nunca actitudes de felino, ni poses de maestro.[28]

En cuanto a la temática, ha sido por principio trágica. Sus narraciones tienen la fortaleza de la honestidad, de la sensibilidad humanista. Al apuntar que Icaza tiene cierta predilección por temas naturalistas, F. Ferrándiz Alborz acierta muy bien al decir:

> Sus temas no son los preferidos por un público deformados en su sensibilidad por influencias cosmopolitas y turísticas. Sus novelas, leídas antes o después de comer, malogran la digestión; leídas antes de dormir, nos quitan el sueño.[29]

Hoy en día, Jorge Icaza ha desempeñado su misión con creces. Como defensor del indio ecuatoriano, ha señalado grandes injusticias dentro de la estructura social ecuatoriana, y las ha llevado hasta sus últimas implicaciones. Rodeado de los suyos, vive en Quito, dedicado a un pequeño negocio de librería, ya que, desafortunadamente, le es casi imposible a cualquier hombre de letras hispanoamericano ganarse la vida por su obra literaria. Allí sigue, infatigable y presto, en su papel creador.[30] Prepara actualmente una novela en tres volúmenes, que titulará *Atrapados.* En ella, plantea los alcances sociales y políticos que tendrá la Ley de Reforma Agraria recientemente aprobada. Nos queda por indicar que esa ley tiene su testimonio más genuino en la necesidad que ella viene a llenar: las injusticias descritas en la novelística de Jorge Icaza.

NOTAS

[1] De una carta de Icaza al autor del presente estudio, con fecha 3 de marzo de 1965.

[2] Francisco Ferrándiz Alborz, *El novelista hispanoamericano Jorge Icaza* (Quito: Editora Quito, 1961), pág. 15.

[3] El vocablo *huasipungo* representa una forma compuesta de dos sustantivos de la lengua quechua: *wássi*-casa, y *púnku*-puerta. Su sentido literal se ha extendido hasta tal punto que encuentra referencia en el sistema agrario del Ecuador. El hacendado (*patrón*) le presta al indio un pequeño terreno en la hacienda, en el cual el *peón* puede construir su *choza* y alimentar a su familia de su cosecha, a cambio de servicio doméstico al amo.

[4] Enrique Ojeda, *Cuatro obras de Jorge Icaza* (Quito: Casa de la Cultura Ecuatoriana, 1961), pág. 39.

[5] Jefferson R. Spell, *Contemporary Spanish-American Fiction* (Chapel Hill: University of North Carolina Press, 1944), pág. 252. Según Angel F. Rojas, autor de *La novela ecuatoriana* (México: Fondo de Cultura Económica, 1948), pág. 198, *Huasipungo* se ha traducido también al idioma chino. Es interesante el hecho de que una traducción pirata en inglés se publicó en la revista rusa, *International Literature*, en Moscú, en febrero de 1936. Véase Albert B. Franklin, "Ecuador's Novelists at Work", *The Inter-American Quarterly*, II (1941), 37.

[6] En nuestro estudio, empleamos la expresión *novela indigenista* para hacer referencia a las novelas escritas durante las últimas cuatro décadas, en las que se retratan de una manera muy realista y con estilo documental las injusticias sociales contra el indio en esas repúblicas con poblaciones principalmente indígenas, como Bolivia, el Ecuador y el Perú. Ejemplos típicos de este género son: *Raza de bronce* (1919), por Alcides Arguedas (Bolivia), y *El mundo es ancho y ajeno* (1941), por Ciro Alegría (Perú). Por *novelas indianistas*, se refiere a las novelas románticas del siglo XIX, en las cuales se le presenta al indio como un ser idealizado, lo cual hace recordar al "salvaje noble" de Fray Bartolomé de las Casas —el "Apóstol del Indio"— en sus escritos sobre la Conquista. La novela *Cumandá* (1879), del ecuatoriano Juan León Mera, se considera la obra cumbre de las *novelas indianistas*. Para un estudio detallado sobre la novela romántica de tema indígena, véase la obra sobresaliente de Concha Meléndez, *La novela indianista en Hispanoamérica, 1832-1889* (2.ª ed.; Río Piedras: Ediciones de la Universidad de Puerto Rico, 1961).

[7] Rojas, *op. cit.*, pág. 174.

[8] Arturo Torres-Ríoseco, *La novela en la América Hispana* (Berkeley: University of California Press, 1941), págs. 234-235.

[9] Fernando Alegría, *Breve historia de la novela hispanoamericana* (México: Manuales Studium, 1959), pág. 246.

[10] Ferrándiz Alborz, *op. cit.*, pág. 30.

[11] Benjamín Carrión, *El nuevo relato ecuatoriano* (Quito: Casa de la Cultura Ecuatoriana, 1950), pág. 148.

[12] E. Suárez Calimano, "Dos novelas de Jorge Icaza", *Nosotros* (Segunda época), Tomo I (Buenos Aires, 1936), 318.

[13] Bernard M. Dusley, "Jorge Icaza and his Ecuador", *Hispania*, XLIV (1961), 99. La crítica abunda en declaraciones que hacen eco a la desilusión de Icaza. Esto se centra en la apatía aparente por parte del gobierno ecuatoriano respecto al mejoramiento social y económico de la masa indígena. Ferrándiz Alborz, *op. cit.*, pág. 30, se suscribe a Icaza al decir lo siguiente: "Se nos dice que algo ha cambiado la situación desde hace veinticinco años, pero en lo que se refiere a la esencia religiosa, política y económica de la cuestión, podemos afirmar que nada ha cambiado desde *Huasipungo*, en 1934. El indio del altiplano andino continúa siendo el gran alienado del siglo." Adrián Villagómez L., en su artículo,

"Icaza: 25 años de *Huasipungo*", que apareció en la sección literaria del destacado periódico mexicano, *Excelsior*, en la ciudad de México, el 15 de febrero de 1960, comparte también los sentimientos de nuestro novelista: "Por eso *Huasipungo*, a los 25 años de escrito, todavía grita su tragedia desde su última página como un recordatorio cruel, de la tradición habida en su mensaje: «¡Ñucanchic huasipungo!» («¡Defendamos nuestra casa!»). Porque en México, en Ecuador, en América del Sur y en Centro América toda, aún al indio se le margina de la civilización, se le explota y se le mata..."

[14] Spell, *op. cit.*, pág. 245.

[15] Debido a la gran popularidad de *Huasipungo*, tanto dentro como afuera de las fronteras del Ecuador, se le otorgó a Icaza el título honorario de "Defensor del indio ecuatoriano". En esa capacidad, él fue invitado por México —invitación que aceptó— a participar en el Congreso Indigenista que se realizó en ese país en el año 1940.

[16] Dulsey, *op. cit.*, pág. 102, cree que una revolución social como la Guerra Civil Mexicana de 1910 inevitablemente estallará en el Ecuador: "It is not necessary to be an acute observer to note how political and economic conditions today in Ecuador parallel those of Mexico in 1910. But as yet no Madero has appeared to help uplift the submerged masses in present day Ecuador. The real Ecuadorian Revolution is yet to come, but Icaza's novels foreshadow and justify the Mexican Revolution." Ferrándiz Alborz, *op. cit.*, pág. 32, opina que la causa redentora del indio ecuatoriano será asumida un día por algún comunista o fascista, quien lo conducirá contra sus opresores por medio de una sublevación militar.

[17] Ferrándiz Alborz, *op. cit.*, pág. 44.

[18] J. Eugenio Garro, *Jorge Icaza: Vida y obra* (Nueva York: Hispanic Institute, 1947), pág. 38.

[19] La tragedia del cholo dentro de la estructura de la sociedad ecuatoriana ha sido descrita por Pío Jaramillo Alvarado en su obra monumental, *El indio ecuatoriano* (Cuarta edición; Quito: Casa de la Cultura Ecuatoriana, 1954), págs. 11-12: "El cholo, mezcla de indio y de español, es la venganza del servilismo del indio que satura la vida política y social de los pueblos de América. El cholo es aborrecido por el indio y menospreciado por el hombre blanco; y el cholo que es una gran masa mayoritaria ha revertido su odio sobre el blanco y sobre el indio, creando un ambiente psicológico irrespirable de mediocridad y de odio, y mantiene la mentalidad plebeya en el enjuiciamiento de los problemas nacionales."

[20] Samuel Putnam, "Cholos", *Books Abroad*, XV (1941), 299-300.

[21] Garro, *op. cit.*, pág. 44.

[22] Jorge Icaza, *Media vida deslumbrados* (Quito: Editorial Quito, 1942), pág. 237.

[23] El 15 de octubre de 1962, la prestigiosa Casa de la Cultura Ecuatoriana dio a luz una bella segunda edición de *Huairapamushcas*.

[24] Según Icaza, la palabra *chulla*, forma variante por "cholo", "es hombre o mujer de clase media que trata de superarse por las apariencias".

[25] Valentín de Pedro, en su reseña de *El chulla Romero y Flores*, en *Letras del Ecuador* (octubre, 1959), pág. 18, señala la inmensa dificultad que tiene el *chulla* ecuatoriano al tratar de obtener una alta posición social dentro de la burocracia ecuatoriana, debido a la discriminación racial practicada por los blancos gobernantes: "Bien es verdad que el cholo o el mestizo perteneciente a una casta social y económica de baja extracción, cuando logra convertirse en empleado público —cosa que al parecer suele contarse entre sus más caras aspiraciones— es siempre como empleado público de categoría inferior."

[26] En el prólogo a *Jorge Icaza, Obras escogidas* (México: Aguilar, 1961), págs. 60-61.

[27] Kurt L. Levy, "El chulla Romero y Flores", *Books Abroad*, XXXIV (1960), 390.

[28] Véase César Ricardo Descalzi, "El chulla Romero y Flores", en el diario quiteño, *El Comercial* (3 de agosto de 1958).

[29] Ferrándiz Alborz, *op. cit.*, pág. 57.

[30] En una carta de Icaza con fecha 11 de enero de 1973, el novelista le comunica al autor de la presente monografía que acaba de ser nombrado Embajador del Ecuador a la Unión Soviética.

CAPÍTULO III

PRIMITIVISMO EN EL MUNDO QUECHUA DEL INDIO ECUATORIANO: *HUASIPUNGO* Y *HUAIRAPAMUSHCAS*

> Indio que labras con fatiga
> tierras que de otros dueños son:
> ¿ignoras tú que deben tuyas
> ser, por tu sangre y tu sudor?
> ¿ignoras tú que audaz codicia,
> siglos atrás, te las quitó?
> ¿ignoras tú que eres el Amo?
> ¡Quién sabe, señor!
> (José Santos Chocano, «Tres no-
> tas de nuestra alma indígena»,
> *Alma América*)

Jorge Icaza ha centrado su descripción e interpretación de las novelas *Huasipungo* (1934) y *Huairapamushcas* (1948) en el ambiente primitivo, en el cual nacen, viven y mueren sus personajes indígenas. Ambas obras representan el comienzo y la culminación de un proceso artístico-social. Los personajes que habitan su mundo novelístico son fieles representantes de arquetipos sociales, elegidos convencionalmente para ilustrar su temática. En *Huasipungo,* por ejemplo, vemos la tragedia personal de Andrés Chiliquinga y de su esposa, Cunshi. Sus vidas representan un ejemplo del sufrimiento colectivo del indio: es la singularización de un padecer general. Otro tanto podemos afirmar del anárquico terrateniente feudal, don Alfonso, y de sus aliados: el artificioso jefe político y el colusorio párroco de la región. Los tres perso-

39

najes representan arquetipos de la corrupción socio-moral y del vicio resultante del poder; como tales, son representantes simbólicos de la explotadora jerarquía ecuatoriana. Esta misma posición dialéctica la encontramos en *Huairapamushcas*. Don Gabriel Quintana es la contrapartida de don Alfonso, y Pablo Tixi y Juana corresponden a la posición desventajada de Andrés Chiliquinga y Cunshi. Además, en *Huairapamushcas*, Isidro Cari, símbolo del cholo oportunista, tiene su figura paralela en el mayordomo mestizo de *Huasipungo*, así como la tiene el cura simoníaco, Secundino Chiriboga.

A pesar de que el tono presente en *Huasipungo* y en *Huairapamushcas* es de carácter mesiánico, las obras en sí no presentan párrafos directamente expresivos de esa tonalidad. A veces surge un inevitable comentario sarcástico en relación con el orden social establecido —actitud muy humana, a nuestro parecer. Un buen ejemplo de esta reacción puramente humana lo tenemos presente en *Huasipungo;* se trata del medio, tan «efectivo», que implantan las tropas gubernamentales, al destruir el movimiento que los indios han realizado al querer defender su propiedad de la codicia de don Alfonso: «Desde la capital, con la presteza con la cual las autoridades del Gobierno atienden estos casos, fueron enviados doscientos hombres de infantería a sofocar la rebelión».[1] En vez de transformar su novelística en puros tratados morales, el autor describe la existente realidad social del indio para quien se tome el trabajo de presenciarla. Icaza nos ofrece las circunstancias vitales que amenazan destruir al indígena: el clima inhospitalario de la sierra andina, así como los agentes de la explotación humana, e invita al lector a interpretar y medir los alcances de su descripción socio-literaria.

Debido a la temática presente en estas obras y al fin que nuestro novelista ha perseguido al escribirlas, las escenas idílicas no tienen vigencia en su narración. En su lugar, encontraremos tonos sombríos y un detallismo que recuerda a los naturalistas finiseculares. Su panorama está cargado de desilusión, desesperación, sufrimiento y, para colmarlo todo, muerte.

En relación con la estructura, ambas obras son los ejemplos más acabados de la novelística ecuatoriana contemporánea. El desarrollo del enredo deviene secundario, ya que la ilustración de los males sociales requiere un recuento de los incidentes, una descripción detallada.

En otras palabras, no se trata de una estructura de técnica avanzada; aquí, la técnica se sacrifica a la temática. No son obras basadas en la hipotética teoría de «el arte por el arte». Tal vez lo más cercano que podemos señalar en cuanto a posición es la humanística de Tolstoy: la literatura como fin de aproximar a los hombres, de eliminar distancias humanas. Con el fin de ilustrar al lector que no conozca los enredos de *Huasipungo* y de *Huairapamushcas,* resumiremos brevemente ambas narraciones.

Apenas comenzado el argumento de *Huasipungo,* el lector se ve envuelto en un medio primitivo, poblado de los arquetipos correspondientes. Ve a don Alfonso Pereira, sobrino del amoral latifundista, don Julio Pereira, a quien está ligado por una deuda que le debe a éste. Don Julio tienta a su sobrino, al informarle del potencial económico que representa el territorio inexplotado de la estancia de Cuchitambo, que pertenece a don Alfonso. Nuestro latifundista ha realizado un viaje previo a esa comarca, acompañado por un tal «míster Chapy», un capitalista norteamericano. Este extranjero le ha informado al latifundista de la fortuna que podría alcanzar el que explotara la producción maderera de esa región virgen. Esta tentación se ve incrementada, a la sospecha de que en el mismo lugar se pueda encontrar petróleo. Don Julio informa a su sobrino que, para lograr apoderarse de ese territorio, éste debe comprar —con fondos suministrados por el tío— las extensiones de Filocorrales y Guamaní, adyacentes a su propiedad. En el precio de compra, se incluye la compra de los indios que viven en esa región;[2] ellos serán la maquinaria humana necesitada para la construcción de un camino indispensable para la comunicación con los villorrios cercanos. Los latifundistas encuentran, empero, una dificultad: míster Chapy les ha indicado que los indios de Cuchitambo deben ser removidos del territorio en el cual han vivido por muchas generaciones: deben abandonar los bancos del río, en donde viven en sus huasipungos. Don Alfonso se da cuenta que esta medida traerá complicaciones serias porque, según él:

> los indios se aferran con amor ciego y morboso a ese pedazo de tierra que se les presta por el trabajo que dan a la hacienda. Es más: en medio de su ignorancia lo creen de su propiedad. Usted sabe. Allí levantan la choza, hacen sus pequeños cultivos, crían a sus animales. (Pág. 81)[3]

Una vez que han minado el espíritu de los indígenas por medio de la propaganda del párroco local y del cacique del lugar —esbirros del latifundista— la construcción del susodicho camino comienza. Reticentes y supersticiosos por naturaleza e influenciados por la prostituida teología del párroco, la comunidad indígena se ve en un dilema: ¿se prestará o no a la labor explotadora? El miedo a un Dios que los puede abandonar si no cumplen con los consejos de su representante convence a la comunidad a cumplir con el proyecto de un modo «religioso y patriótico». El mentado camino se construye únicamente después de sufridas muchas calamidades y miserias por parte de los indios infelices en su lucha épica contra la naturaleza inhospitalaria. Existe un medio de estimulación para el logro final: el látigo que constantemente cae sobre las espaldas desnudas de los indígenas.

Los indios se ven obligados a dejar sus huasipungos cercanos al río, para verse en un nuevo cambio al quererse establecer en la ladera de la montaña: el consejero norteamericano ha decidido usar esta última posición para instalar un aserradero. Esta égira no se realiza voluntariamente: tropas militares de la capital han sido llamadas para poder eliminar toda resistencia indígena. La novela termina en un medio de súplica por parte de los indios; en un pasaje muy poético, los indígenas moribundos siguen clamando por justicia en su lengua quechua, «—¡Ñucanchic [nuestro] huasipungo!»:

> Al amanecer, entre las chozas deshechas, entre los escombros, entre las cenizas, entre los cadáveres tibios aún, surgieron, como en los sueños, sementeras de brazos flacos como espigas de cebada que, al dejarse acariciar por los vientos helados de los páramos de América, murmuraron con voz de taladro:
> —¡Ñucanchic huasipungo!
> —¡Ñucanchic huasipungo! (pág. 243)

Para el lector que empiece a conocer la novelística de Icaza empezando con *Huairapamushcas,* sin duda se quede bastante sorprendido por el primitivismo del medio ambiente, retratado tan de acuerdo con la realidad. En cuanto comienza la novela, conocemos a don Gabriel Quintana, un dandy urbano quien ha heredado una hacienda por la muerte de un pariente suyo. Guiado por el mayordomo Isidro Cari, cholo oportunista que tiene la ardiente ambición de alcanzar las riquezas y distinciones sociales del blanco —todo esto a costa del indio [4]— poco a poco se le presenta a don Gabriel a su nuevo mundo tan aislado, extraño y lleno de problemas indígenas, completamente desconocidos para él. Como prueba del sadismo del cholo en sus relaciones en contra los indios de la propiedad de don Gabriel, basta leer la descripción que da él, de la tortura de unos pobres indios sospechados de haber robado a su antiguo patrón.

Una de las primeras «herramientas de oficio» que el cholo le entrega a don Gabriel es el *acial,* instrumento que provoca el deleite de Isidro cuando lo usa sobre las espaldas de los indios:

—¿Y esto? —interrogó presa de inexplicable deseo de huir.
—El acial de patrón Manuelito, pes. Tal como él le dejó después del último rodeo a los runas. Ahora tiene que manejarle su mercé. Es suyo.
—Mi herencia.
—Con la tierra, con los montes, con los indios, con los animales, con el agua, con todo mismo.
—Despide mal olor.
—Asimismo es —continuó el cholo metiendo las narices entre las correas renegridas.
—¡Oh!
—A pelo de mula, a tempestad de páramo, a lodo de pantano, a calentura de guarmi, a sangre y velorio de indio. ¿Sin látigo, qué patrón grande, su mercé, ha de ser, pes? ¿Quién para que le respete? ¿Quién para que le obedezca? ¿Quién? (pág. 470).

Basta volver sobre el olor de la sangre del indio que permea el látigo —según don Gabriel— para tener un excelente ejemplo de la ironía a la que acude nuestro novelista.

El contacto del nuevo latifundista con este mundo primitivo, y su orientación progresiva en él trae consigo una nueva complicación: la ardiente pasión que despierta en él la sirvienta indígena, Juana. Convencido completamente —del mismo modo que los otros miembros de la aristocracia latifundista ecuatoriana— de que el cuerpo de la muchacha le pertenece del mismo modo que el ganado, los perros, las cercas, las piedras, los árboles, el río, e incluso los indios de su propiedad, desde el momento de su nacimiento hasta la muerte, el lascivo don Gabriel seduce a la muchacha indefensa.

Mientras tanto, el mayordomo Isidro Cari, llevado de su anhelo de «ser alguien», se dispone a intensificar el robo que viene cometiendo en la hacienda de su amo. Se las arregla para robar ganado, y culpa de ello al prometido de la sirvienta Juana —Pablo Tixi, un indio que pertenece a la localidad indígena de Yatunyura. Isidro implica que ambos prometidos se han «amañado», o sea, que se han convertido en amante y amado en la casa del terrateniente antes de casarse— costumbre tradicional entre los indios de la comunidad de Yatunyura. El mayordomo obtiene el permiso de don Gabriel (dado de muy buena gana) para obligar a casarse a los enamorados, y, al hacerlo, impide que se culpe a su amo de la posibilidad de que Juana tenga un hijo, producto de la seducción previa.

Los recién casados encuentran dificultades entre los indios de Yatunyura, ya que éstos no permiten la presencia de Juana, producto de los huasipungos. Aquí, Icaza nos da un admirable cuadro de costumbres acerca de la comunidad de los Yatunyuras, en el cual nos hace ver la actitud recelosa de estos indios hacia intrusos —debido a la amarga experiencia obtenida con los Conquistadores. Para ellos, los forasteros representan un mal agüero; los llaman en su idioma quechua «Huairapamushcas» (Hijos del viento).

Juana trae al mundo mellizos, llamados Pascual y Jacinto, producto de sus forzadas relaciones sexuales con el patrón don Gabriel. Pablo Tixi se siente trastocado al notar la diferencia en el color de la piel de los recién nacidos: ambos tienen un tinte más claro. Trata de huir del estigma de su deshonra, abandonándose a la bebida. La seguridad en su convicción la obtiene solamente años más tarde, al decirle Juana que sus hijos habían sido engendrados por el «taita diablo blanco». Llevado por la desesperación, emprende la busca de don Gabriel con un machete en la mano, pero es capturado por el mayordomo Isidro Cari, puesto en noticia por Juana. Al ser torturado, Pablo Tixi condena a sus «hijos», por haberse alistado al lado de los blancos. Al volver a su hogar, quema las manos de los niños para que «se chamusquen el cuero medio blanquito».

Mientras tanto, el mayordomo ha sido arrojado del latifundio de don Gabriel, al comprobar el patrón que él es el culpable de los robos. Isidro Cari ha logrado defender su propiedad de una avalancha fluvial, por medio de costosos diques. El agua se desvía y causa destrozos irremediables en el territorio de los de Yatunyura. El cholo Cari comprende la enorme oportunidad que le depara la destructora natu-

44

raleza: él podrá utilizar los residuos que emigran de la tierra indígena a la suya, para poder plantar la caña de azúcar y con ella producir alcohol. Los indios han invocado la ayuda de la Virgen, pero, en su interpretación, no han sido atendidos en sus ruegos. Se vuelven en busca de ayuda a su dios Taita Yatunyura, el dios del árbol. Lo que ellos interpretan como ayuda de su dios pagano coincide con el paso del azote fluvial.

En las últimas páginas de la novela —en las cuales el autor reafirma su implicación temática— volvemos al eterno conflicto racial entre el indio y el cholo: mientras Pablo Tixi trata de cruzar las aguas crecidas del río, agarrándose de una cuerda, sus «hijos» —los nuevos cholos— no le prestan ninguna ayuda, y dejan que su «padre» se ahogue en el intento. El hecho implica una disociación de parte de los nuevos vástagos de su responsabilidad sanguínea. Para concluir, el mayordomo Pablo Tixi ha sido víctima de la obsesión de los mellizos, productos de la concupiscencia del blanco latifundista privilegiado; desde su nacimiento, él los había considerado como un mal agüero, como representantes de un destino encaminado a la destrucción del villorrio indígena. Para él, ellos son los herederos de la misión destructura de los indios, en el presente y en el futuro. Con la muerte de Pablo Tixi, hay también la muerte simbólica de todo lo indígena, en otro tiempo incorporado en el indestructible árbol Yatunyura, a medida que los mellizos Pascual y Jacinto, después de mucho trabajo, acaban por derribar el árbol sagrado y utilizarlo como medio de comunicación —en forma de puente— con los cholos que viven allende la ribera del río.

* * *

Uno de los temas más acentuados de sátira en *Huasipungo* y en *Huairapamushcas* es el de la Iglesia Católica en el Ecuador del siglo veinte. Pero hay que señalar muy claramente que, fiel a la gran tradición literaria europea, la posición de Icaza no es antidogmática, sino anticlerical. Los párrocos simoníacos de Icaza serán castigados —se puede intuir— en el mismo modo que el papa Bonifacio VIII de Dante: eternamente atormentado por las llamas infernales, por haber prostituido su misión redentora para lograr sus fines materiales. Se semejan mucho a los monjes lascivos de los incomparables cuentos de Boccaccio, así como al cura mundano de Chaucer. Los abusos del clero que abundan en el mundo supersticioso y primitivo del indio ecuatoriano, en el cual se ve obligado a aceptar la presencia de un Dios absoluto en lugar de sus varios dioses paganos, reflejan los aspectos negativos del papel que desempeña la Iglesia en el Ecuador. Por otra parte, claro está que la alianza colusoria del párroco a los corrompidos caciques regionales y a los desalmados latifundistas le ayuda muy poco al indio a aceptar completamente una fe, cuyos ministros le perjudican. Bernard M. Dulsey se ha referido a esta situación presente en la novelística de Icaza, diciendo:

> As his readers know, Icaza is quite disappointed with the Church in Ecuador. Its importance in Ecuadorian life is paradoxical. Officially there is, as in Mexico, a legal separation of Church and State. But the anticlerical statements, which abound in Mexico, are not so popular in Ecuador. On the contrary, the church is in a more favorable position than it is in Venezuela where it is established. When asked his opinion of the Church, Icaza told me, «La religión ha sido negativa».[5]

El cura descrito por Icaza en *Huasipungo* aúna en su persona el ser egoísta, complotador de las miserias del indio, débil en carácter, y, para culminarlo todo, un epicúreo perfecto. Su apasionado temperamento le impulsa a buscar aventuras sexuales y reacciones sádicas ante sus conquistas amorosas. Su participación en la organización de la *minga* (una institución colectiva de arraigo indio y de fines comunales) revela al lector el carácter escandaloso de este tipo. Escudado por la santidad del púlpito, se aprovecha de su ascendencia para obtener beneficios materiales para sí mismo, y exhorta al indio para que apoye, física y espiritualmente, la construcción de la carretera. Para obtener los máximos resultados, no vacila en otorgar indulgencias religiosas a los que le apoyan servilmente.

Otro aspecto de la avaricia del cura de *Huasipungo* consiste en la venta de la santa misa. Citaremos una ocasión como ejemplo: el indio Tancredo Gualacote ha sido designado por el cura para que actúe en calidad de *prioste*[6] en una celebración efectuada para festejar el término de la carretera. Cuando el indio le ruega al cura que rebaje un poquito el costo de la misa de agradecimiento, éste replica:

46

¿Cómo puedes imaginarte y cómo pueden imaginarse ustedes también, cómplices de pendejadas, que en una cosa tan grande, de tanta devoción, la Virgen se va a contemplar con una misa de a perro? ¡No! ¡Imposible! ¡De ninguna manera! (pág. 178).

El resultado de la solicitud de «una rebajita» es interpretado por la colectividad como una blasfemia hacia Dios. Al poco tiempo, al invadir el territorio una inundación que destruye algunos huasipungos, los indios buscan a Tancredo y lo agarrotan.

En *Huasipungo,* nuestro autor destaca otro aspecto inhumano del cura: el jugar con las emociones de los crédulos indígenas, al solicitarles que compren y reserven para sus familias una parcela de terreno selecto y sacrosanto del cementerio.[7] Andrés Chiliquinga va a rogarle al cura para que le ayude a solucionar los problemas implicados en el entierro de su esposa Cunshi, quien ha muerto por haber comido parte de un animal desenterrado por los indios. El cura amonesta la conciencia del indio al decirle:

—Los que se entierran aquí, en las primeras filas, como están más cerca del altar mayor, más cerca de las oraciones, y desde luego más cerca de Nuestro Señor Sacramentado —el fraile se sacó el bonete con mecánico movimiento e hizo una mística reverencia de caída de ojos—, son los que generalmente se salvan. Bueno... De aquí al cielo no hay más que un pasito. (pág. 217).

Para poder conciliar el miedo que tiene al pensar que su esposa no pueda alcanzar las bendiciones celestiales, el indio roba una vaca de la aldea vecina. Al descubrirse el robo, tanto él como su hijo joven son azotados salvajemente.

Las mismas características presentes en el cura de *Huasipungo* se repiten en el ministro de Dios de *Huairapamushcas.* Como muchos de los peregrinos muy mundanos de Chaucer, ambos se encaminan al terrestre paraíso de Babilonia, en lugar de dirigirse a las santas ciudades de Canterbury y Jerusalén. Como ejemplo citaremos la siguiente descripción de una ceremonia celebrada por el cura:

El anuncio argentino de la campanilla: «Paso al Santísimo... Paso al Santísimo...» murió lentamente. En los labios del sacerdote, donde persistían estremecidas oraciones y latinajos, surgieron las palabras de rigor en las galleras: «¿Aguantar dos revuelos? ¡Carajo! Ya verán quién cae primero. ¡Chagras brutos! Es de tapada el pollo, pendejos. Lástima...

47

Lástima, no poder chuparle la cabecita para un buen careo...» Con gesto precipitado llamó entonces el cura a uno de los monaguillos, y, alzándose impúdicamente con una mano al alba de encajes y la sotana, ordenó al muchacho después de entregarle un billete que extrajo de la faltriquera: «Apuesta en mi nombre, ya mismito, estos diez sucres al pollo negro.» (pág. 517).

No llena el espíritu de la procesión el alma del cura, sino que entremezclado en él vemos el vicio de apostar a los gallos.

En otra ocasión en la misma obra, podemos ver la avaricia del cura en sus relaciones injustas con los indios de la comunidad de Yatunyura: el ruego de los indios para que él interceda con la Virgen para aplacar las aguas de una inundación pasa a ser relegado a un segundo plano; importa más el regateo sobre la suma total para tocar las campanas de la iglesia:

—Si no tienen lo indispensable en dinero hemos de hacer la misa rezada.
—Bueno, taitico, pes. Pero las campanas han de tocar duro, duro...
—Las dos chicas.
—La grande también.
—Esa vale más. (pág. 615).

El mundo quechua de Icaza de *Huasipungo* y *Huairapamushcas* está lleno de folklore, de supersticiones, y de una extraña religiosidad que combina ciertos rasgos cristianos con otros paganos. Basta leer ciertas descripciones de peleas de gallos, de fiestas indígenas, y de instituciones indias tradicionales, para conocer el antropológico medio que el autor ha creado. Dentro del costumbrismo de Icaza, son de interés especial los cuadros que tratan de las creencias religiosas del indio. La mezcla de cristianismo y paganismo que caracteriza la religión del indio ecuatoriano del siglo XX tiene sus orígenes en la Conquista del siglo XVI. Y, según lo que nos dice Icaza por sus novelas, el indio andino aún vacila hoy día entre la aceptación de un Dios cristiano (quien invariablemente parece ser malévolo) y una creencia en el politeísmo primitivo que caracterizó la sociedad de sus antepasados incaicos. Es esta antítesis religiosa que oscila entre las fuerzas de la Divina Providencia y la Demonología indígena la que llena de indecisión y de un fatalismo ciego la vida del indio ecuatoriano. Con-

48

sideremos, por un instante, la mezcla de fetichismo y fe cristiana que es usada por el curandero en *Huasipungo*, al tratar de ayudar al herido Andrés Chiliquinga:

> —Lueguito voy a sacar la brujería cun chamba de monte, cun hojas de cueva oscura. Un raticu nu más espere aquí, patroncitu, hasta volver. Con señal de la cruz es bueno defenderse.
>
> . . . .
>
> Taita Dios ampare. Taita Dios defienda —repitió el indio de cara arrugada y prieta echándose sobre el enfermo para sujetarle con fuerza y raras oraciones que ahuyenten y dominen a los demonios que tenían embrujado a Chiliquinga. (págs. 121-122).

Esta escena tiene su paralelo en la novela *Huairapamushcas:* aquí, la cocinera-bruja del latifundista don Gabriel mezcla símbolos paganos y cristianos para poder justificar el embarazo ilegítimo de la india Juana:

> La vieja arrastró a la muchacha hasta cerca del fogón. Al amor de la lumbre le echó de espaldas. Con maña diabólica la desnudó hasta más arriba del ombligo. Luego, apartando tizones y leños a medio arder, con dedos curtidos de bruja, extrajo del rescoldo de las candelas un gran puñado de ceniza, e hizo con gesto de extraña liturgia una pequeña cruz sobre la piel bronceada del vientre de la longa. (pág. 483).

Estas escenas representan solamente dos de las muchas presentes en estas obras, en las cuales Icaza demuestra clara y eficazmente la mezcla de elementos religiosos y primitivos.

Aparte de las muchas implicaciones sociales en *Huasipungo* y en *Huairapamushcas* (que son, como ya hemos visto, de gran importancia en la novelística de Icaza), y de las descripciones folklórico-religiosas, se destaca la técnica narrativa del autor —técnica que no ha encontrado muchos reconocimientos, debido a la temática humanística de nuestro novelista.[8] Sin embargo, este aspecto es uno de los más acabados en Jorge Icaza. Las imágenes merecen, en especial, un estudio más detallado. En la novelística icazana, las imágenes más destacadas y originales son las relacionadas con los elementos animales, que el autor usa para caracterizar los aspectos humanos de los indios. Esta preferencia tiene su razón de ser: tanto el blanco como el cholo tratan al indio como si éste fuera un animal. La mayoría de las imágenes

49

se caracterizan por ser breves, pero al mismo tiempo, muy eficaces en su alcance. Se hallan enmarcadas en símiles con sus indispensables *como, cual,* o *con,* esta última forma única de nuestro autor. Algunas veces la imagen asume la forma de una metáfora, al presentarse con un sustantivo en aposición («indios *puercos*», *Huasipungo,* pág. 189). Otras veces Icaza utiliza términos que son usados únicamente con animales («también los indios, *olfateando* en las sombras...», *Huasipungo,* pág. 152; «...después del último *rodeo* a los runas», *Huairapamushcas,* pág. 470). Damos a continuación algunos pasajes que reflejan este uso de imágenes de animales para pintar de una manera muy realista o naturalista la existencia sórdida del indio de la Sierra ecuatoriana:

> Sintiéndose salvados, aunque jadeaban *como bestias,* los indios hicieron una pausa... (*Huasipungo,* pág. 181).

> Cautelosamente salió y cerró la puerta el cojo Chiliquinga. *Olfateó* las tinieblas... (*Huasipungo,* pág. 202).

> Todos por turno y en competencia de quejas. De quejas que se fueron avivando poco a poco hasta soldarse al amanecer en un coro que era *como el alarido de un animal sangrante y acorralado...* (*Huasipungo,* pág. 215).

> Miraba con ojos aterrados, acurrucando su sorpresa *con timidez de animal herido junto a una carga de palos secos.* (*Huairapamushcas,* página 481).

> Entre el cielo y la tierra corría un aire sin esperanzas cuando la indiada entró en Yatunyura y pudo tenderse *con silencio de animal enfermo...* (*Huairapamushcas,* pág. 623).

En algunas ocasiones vemos al indio comparado, específicamente, con *el ganado:*

> En vez de ser cruel con los runas, en vez de marcarles en la frente o en el pecho con el hierro al rojo *como a las reses* de la hacienda para que no se pierdan... (*Huasipungo,* pág. 86).
> —No sólo son las tierras y los indios de que hemos hablado. No... En la montaña queda todavía gente salvaje, *como el ganado* del páramo. (*Huasipungo,* pág. 99).

50

La palabra *pata*, término animal, se utiliza con frecuencia para identificar la anatomía del indio:

—Ha caído gusano de monte en *pata* de natural. (*Huasipungo*, página 120).

—Lavemos *patas*. Sabroso... —propuso el indio en tono juguetón. (*Huairapamushcas*, pág. 530).

—Ya... Les aplasto como a gusanos de col... Les aplasto con *pata* pelada de taita longo Yatunyura. (*Huairapamushcas*, pág. 545).

A veces las imágenes se asocian con *puercos* o *gallinas:*

Ella soltó la leña que había recogido y se acurrucó bajo unos cabuyos *como gallina que espera al gallo.* (*Huasipungo*, pág. 94).

—¡Sudaron! ¡Sudaron, carajo! ¡Les saqué el sucio, *longos puercos!...* (*Huasipungo*, pág. 165).

Se acurruca en los rincones... *como gallina* con mal (*Huairapamushcas*, pág. 482).

Sin duda alguna, la imagen más frecuente en *Huasipungo* y *Huairapamushcas* es la relacionada con la figura del *perro*, constante miembro del hogar indio:

—De acompañar, de acompañar... Pegada *comu perru* mal enseñadu. (*Huasipungo*, pág. 109).

—¿Pur qué te vais sin despedir? ¿*Comu ashcu*' sin dueño? (*Huasipungo*, pág. 213).

—Se acurruca en los rincones *como perro* cansado... (*Huairapamushcas*, pág. 482).

Ashco sarnoso. (*Huairapamushcas*, pág. 594).

Finalmente, el autor nos ofrece varios ejemplos del uso muy eficaz de la imagen del *gusano* para simbolizar la insignificancia del indio en la vida ecuatoriana:

...Andrés Chiliquinga, elevándose unas veces sobre su pie sano, con los brazos en cruz como un espantapájaros, arrastrándose otras veces sobre el piso de la choza *como un gusano*... (*Huasipungo*, pág. 124).

...aparecieron unos indios chorreando lodo, *con temor y recelo de gusanos* sorprendidos por la luz... (*Huasipungo*, pág. 155).

En varias ocasiones el novelista mezcla imágenes compuestas de elementos heterogéneos, creando con éstas reacciones anticlimáticas para mantener al lector suspendido en ese mundo cruel:

Más allá, en la calle misma, unos perros esqueléticos —el acordeón de sus costillares semidesplegado— se disputaban un hueso de mortecina que debe haber rodado por todo el mundo. (*Huasipungo*, pág. 89).

Cuando la espera se volvió insufrible y el hambre era un animal que ladraba en el estómago... (*Huasipungo*, pág. 191).

De pronto, trágico misterio, del labio inferior de la zanja surgieron bayonetas como dientes. (*Huasipungo*, pág. 241).

Cual gusano que levanta con dificultad de ciego la cabeza se estiró la paralítica. (*Huairapamushcas*, pág. 575).

...el sacerdote murmuró con voz de náufrago al entrar en la sacristía... (*Huairapamushcas*, pág. 537).

Otro aspecto importante de la maestría literaria de Icaza en *Huasipungo* y *Huairapamushcas* se refleja en sus vivas descripciones relacionadas con el sentido olfatorio. En ellas figuran muchos olores ofensivos, pero muy típicos, del primitivo mundo maloliente del indio de la Sierra:

...un olor a leña tierna de eucalipto y boñiga seca —aliento de animal enfermo e indefenso... (*Huasipungo*, pág. 89).

...para alcahuetear y esconder la escaldada piel de las piernas y de las nalgas —enrojecida hediondez de veinticuatro horas de orinas y excrementos guardados... (*Huasipungo*, pág. 103).

El trapo sucio manchado de sangre, de pus y de lodo al ser desenvuelto despidió un olor a carroña (*Huasipungo*, pág. 120).

Al destapar los ponchos viejos un olor a excrementos fermentados saturó el ambiente (*Huasipungo*, pág. 209).

Algo imprevisto descompuso y agravó entonces el desconcierto de Quintana. Era el olor a miseria y a suciedad que despedía aquella mujer aferrada a sus pies. Un vaho tibio de sudores recónditos, de boñiga fresca, de carne podrida, de chiquero al sol, de perro mojado (*Huairapamushcas*, pág. 465).

52

La intimidad del riesgo y la fatiga del viaje despedían un olor a cuero caliente —el de las bestias, el de los pinganillos, el de los zamarros, el de las monturas, el de las huascas, el de los aciales— y a bayeta húmeda —la de los ponchos, la de las bufandas, la de los sudaderos (*Huairapamushcas,* pág. 588).

En las dos novelas, la naturaleza representada en sus aspectos más violentos y salvajes parece juntarse con la posición devastadora del latifundista, del cura, y del cacique político. A estos personajes se une para hacer la vida del indio una odisea humana. Damos a continuación algunos de los muchos ejemplos:

El páramo, con su flagelo persistente de viento y agua, con su soledad que acobarda y oprime, impuso silencio (*Huasipungo,* pág. 84).

Al poco tiempo la lluvia volvió a arreciar. Flageló de nuevo a la tierra ciega, silenciosa, aterida de frío (*Huasipungo,* págs. 154-155).

—¡La crecienteee!
Alarido que estallaba más alto y desesperante cuando el vientre adiposo de las aguas turbias se precipitaba voraz sobre la cerca de un huasipungo... (*Huasipungo,* pág. 181).

En varias ocasiones la personificación de la naturaleza no está nada asociada ni con la violencia ni el sufrimiento. En su calidad de organismo vital, contribuye en gran parte al efecto total de las dos novelas. Señalamos aquí unos ejemplos:

A esas horas, por la garganta que mira al valle... (*Huasipungo,* pág. 89).
Una noche se agravó el descontento en el cholerío. Era la Naturaleza, ciega, implacable. Debía ser muy tarde —una o dos de la mañana—. Las tinieblas de espesa modorra parecían roncar al abrigo de la música monótona de los grillos y de los sapos. De pronto, sobre la plataforma negra del cielo, rodó un trueno con voz de caverna (*Huasipungo,* página 152).

En la misma forma perezosa y triste que se estiró el amanecer sobre los cerros se movilizaron los mingueros... (*Huasipungo,* pág. 155)
...situado en la garganta más espeluznante de la cordillera... (*Huairapamushcas,* pág. 514).

El arma de los longos huairapamushcas se prendió en el viejo tronco una, cien veces. En la herida —boca abierta de lagarto— parecía quejarse la madera (*Huairapamushcas,* pág. 639).

Como ejemplo excepcional de la destreza técnica y creadora de nuestro novelista para producir el efecto máximo, ofrecemos su descripción bien labrada y muy eficaz del hambre insoportable de los indios. El hambre, con su fuerza dinámica, permite a Icaza crear una letanía en torno a ese tema, impregnada ésta de una aliteración poética con altibajos musicales que enriquecen en máximo grado la prosa. La constante repetición del vocablo *hambre*, unida a su caracterización en forma de látigo incansable, contribuye a formar un crescendo de exasperación agónica:

Año angustioso aquél. Por el valle y por la aldea el hambre —solapada e inclemente— flagelaba a las gentes de las casas, de las chozas y de los huasipungos. Era el hambre de los esclavos que se dejan matar saboreando la amargura de la impotencia. No era el hambre de los desocupados. Era el hambre que maldice en el trabajo agotador. No era el hambre con buenas perspectivas futuras del avaro. Era el hambre generosa para engordar las trojes de la sierra. Sí. Hambre que rasgaba obstinadamente un aire como de queja y llanto en los costillares de los niños y de los perros. Hambre que trataba de curarse con el hurto, con la mendicidad y con la prostitución. Hambre que exhibía a diario grandes y pequeños cuadros de sórdidos colores y rostros de palidez biliosa, criminal. Hambre en las tripas, en el estómago, en el corazón, en la garganta, en la saliva, en los dientes, en la lengua, en los labios, en los ojos, en los dedos. (*Huasipungo*, pág. 197).

A través de este capítulo, hemos seguido las constantes temáticas en *Huasipungo* y en *Huairapamushcas*. Ellas nos han revelado la preocupación humanística de Jorge Icaza para con los indios de su país. En nuestro análisis de las dos novelas, hemos presenciado el retrato convincente del mundo primitivo del indio ecuatoriano —un mundo lleno de sufrimiento y superstición. Las caricaturas de los protagonistas reflejan su carácter estereotípico, así como la psicología de su clase. La temática de *Huasipungo* y *Huairapamushcas* no se nos ha presentado aislada; la estilística nos ha brindado su expresión. Se ha visto cómo el indio ecuatoriano vive en condiciones animales, y como tal nos lo presenta Icaza temática y estilísticamente, con todos sus instintos y olores. La naturaleza —constante enemiga del indio— ha mostrado en esta novelística su aporte negativo a ese mundo primitivo. Por fin, hemos visto en nuestra excursión que la religión de los indios de Icaza es una mezcla de elementos cristianos y paganos, la cual ha sobrevivido el pasaje de unas cuatro centurias. La suma total de los sobredichos elementos —sociales, artísticos y folklóricos— muestran muy bien la habilidad singular de Icaza como intérprete astuto de las masas indígenas en el Ecuador del siglo veinte, y justifica la posición de importancia otorgada a *Huasipungo* y a *Huairapamushcas* en la novelística hispanoamericana contemporánea.

NOTAS

[1] Jorge Icaza, *Obras escogidas* (México: Aguilar, 1961), pág. 238. Todas las citas en este capítulo se refieren a esta edición.

[2] Don Julio, recordándole a su sobrino esta tradicional costumbre ecuatoriana, en que se les considera a los seres humanos como bienes muebles, afirma: "Con los bosques quedarán los indios. Toda propiedad rural se compra o se vende con sus peones." (pág. 82).

[3] No es necesario catalogar aquí el gran número de declaraciones que ilustran el amor intenso que tiene el indio ecuatoriano por la tierra. La observación siguiente sobre la posesión de la propiedad por el indio —situación que ocurre muy raras veces— es un caso típico reiterado por la crítica oficial respecto a la psicología del indio que se agarra fuertemente a la tierra: "Cuando el indio toma el sol sentado a la puerta de su casa y contempla los surcos impecables de su parcela, no puede por menos de sentirse seguro de sí mismo y libre de las explotaciones de blancos y mestizos." (Manuel Marzal, en su artículo, "El indio y la tierra en el Ecuador", *América Indígena*, XXIII [1963], 21.)

[4] El conflicto étnico que existe entre el indio y el cholo —tema favorito de Icaza— se discutirá más detalladamente en el capítulo IV de esta monografía.

[5] Bernard M. Dulsey, "Jorge Icaza and his Ecuador", *Hispania*, XLIV (1961), 101.

[6] El *priostazgo* representa la obligación que debe ser aceptada por el peón ecuatoriano, quien, una vez nombrado por el párroco, tiene que hacerse cargo de todos los gastos incurridos por él en la fiesta auspiciada por él (el *prioste*). Según el comentario siguiente, esta tradición es solamente una manera más de aumentar las deudas del indio por toda la vida: "El campesino toma muy en serio sus fiestas y su obligación de patrocinarlas por lo menos una vez en la vida. Para conseguir el dinero necesario para pasar el priostazgo tiene que ahorrar por mucho tiempo, pero más comúnmente lo que sucede es que vende sus bueyes y otras cosas de valor o se endeuda en una hacienda pidiendo adelantos, y no han faltado casos en que han vendido a sus hijos, o han robado, para cumplir con esta obligación.

Como consecuencia de la celebración de estas fiestas el campesino se empobrece y esclaviza más y más, consume más aguardiente y sigue en su ignorancia y conformidad. (Aníbal Buitrón, "Vida y pasión del campesino ecuatoriano", *América Indígena*, VIII [1948], 125.)

[7] Buitrón, *op. cit.*, pág. 126, en sus observaciones sobre los predominantes intereses pecuniarios del clero en el Ecuador, declara: "La Iglesia Católica en el Ecuador no bautiza, ni casa, ni oficia un funeral mientras no se pague, sin tener la menor consideración de la situación económica de la familia o persona afectada. El padre campesino de un recién nacido que desee bautizarlo debe pagar y, si el cura no necesita dinero, tiene que realizar cualquier tarea que le ordene. Sólo cuando este trabajo ha sido realizado a satisfacción, el cura bautiza al niñito. Si esto no se cumple bien, puede el recién nacido morirse sin bautizo, pues al cura le importa más el bienestar propio que la salvación de un alma."

[8] Véase mi artículo, "Imagery in Two of Jorge Icaza's Novels: *Huasipungo* and *Huairapamushcas*", en *Revista de Estudios Hispánicos*, VI (1972), 293-301.

[9] *Ashco* (ashcu) es la palabra quechua por *perro*.

Capítulo IV

LA CORRELACIÓN CHOLO-INDIA
EN LA SEGUNDA NOVELA: *EN LAS CALLES*

> El cholo en el terruño aspira a ser mayordomo de hacienda.
> ...Pero así como el más frecuente verdugo del indio es el mayordomo, más o menos próximo a su víctima por razones económicas y raciales, el soldado y el gendarme tienen un fusil en la mano para calmar las ansias rebeldes de los cholos miserables que, en la ciudad o en el campo, son sus hermanos.
> (Angel F. Rojas,
> *La novela ecuatoriana*)

La segunda novela de Jorge Icaza, *En las calles* (1935), alcanza un feliz logro al tratar de pintar nuestro novelista un cuadro lleno de corrupción y explotación humanas en la capital ecuatoriana. En esta obra, el mundo primitivo de *Huasipungo*, ampliamente descrito con colores fuertemente indigenistas, desaparece. Ahora somos espectadores de una trasmutación social que nos lleva a las calles de Quito. Con el fin de que el lector pueda adaptarse al cambio del medio, nuestro autor mantiene los mismos personajes de su primera novela: la aristocracia rural, el cura del poblacho, y los caciques de pueblo. Estos siguen siendo los explotadores consuetudinarios. Merece notarse, sin embargo, que los dos últimos miembros del triunvirato mencionado van a disminuir en importancia y tratamiento. Claro que esto es de esperarse, al cambiar Icaza el medio novelístico de rural a urbano. Por toda la novela, el mensaje de Icaza está bien claro: aunque el cholo y el indio huyan a la ciudad, al tratar de escaparse de las garras del «patrón grande» y sus esbirros, su situación socio-económica cambiará muy poco.

La trama de *En las calles,* lo mismo que en *Huasipungo* y en las novelas más recientes de Icaza, no destaca por su complejidad y hermetismo técnico. Aquí, lo que importa es el conflicto que envuelve al indio y al cholo. Son ellos los seres que ilustran la eterna lucha para poder cambiar el medio y las fuerzas que se ciernen sin control sobre sus destinos. Si el lector fue compasivo testigo del sufrimiento indígena en *Huasipungo,* en la segunda novela icazana se ve obligado a extender su sentimiento para poder abarcar al indio y al cholo, trágicamente atrapados en el devenir de un sistema social corrompido.

En las primeras páginas de *En las calles,* nos informamos que don Luis Antonio Urrestas, el prototipo del inhumano y rico hacendado de la novelística de Icaza, ha obtenido injusto permiso de las cortes para poder desviar el curso del río que sirve de sostén vital a la aldea de Chaguarpata. Esto hará que sus tierras estarán bien irrigadas y fértiles, a costa de la pérdida que viene aparejada por los habitantes de la población chola. Esta acción egoísta y malvada del latifundista además tendrá como víctimas los indios de los huasipungos de don Luis, los cuales morirán de sed. Dos cholos, José Manuel Játiva y Ramón Landeta, se niegan a aceptar la decisión del «patrón grande», y prometen encabezar una campaña activa a favor de los indios y cholos. A pesar que ambos se sienten poseídos de la misma reacción de malestar ante la decisión legal, Játiva y Landeta intentan distintos modos de obrar. El medio de éste será organizar ataques violentos y anárquicos contra la hacienda del latifundista, ya que don Luis ha tratado muy mal a los padres de Landeta. José Manuel, por otra parte, decide tomar un medio más racional, apelando directamente al Presidente de la República en Quito. Es este plan el que es finalmente aceptado por un limitado grupo de indios quienes acompañan a José Manuel a la metrópoli.[1]

En Quito, el Presidente, ofendido por los desagradables olores que despiden los indígenas harapientos y pulguientos, ordena que sean arrojados de su presencia y mandados a la oficina de un Ministro de

Gobierno. Allí, son víctimas, al serles requerido que le presenten sus quejas por escrito al Jefe de Reclamos. Además, éste les indica que sus solicitudes deben ser escritas por medio de un abogado. Finalmente, se les dice que sus reclamos serán sopesados con mucho cuidado y que la decisión será anunciada en los próximos veinte o treinta días.[2] El burócrata almuerza con el latifundista don Luis y le asegura que la parte en litigio perderá el entusiasmo —y con ello, la causa legal— al ser víctimas de una larga serie de aplazamientos.

Mientras tanto, se nos informa que la vida en Chaguarpata se ha detenido en su ritmo. Muchas son las víctimas de malaria y disentería. El descontento general y una turbación creciente en el malestar total hacen que desde la capital sean despachadas tropas para evitar una posible rebelión. Al llegar los refuerzos, hallan niños robando madera y hojas secas para sus hogares. Esta conducta es castigada por medio de unas multas exorbitantes a los respectivos padres. Unas cholas hambrientas y desesperadas son apedreadas, al ser descubiertas robando maíz de la propiedad del patrón. Cuando José Manuel Játiva se entera de que su esposa Consuelo fue víctima fatal de la emboscada a las cholas, se junta a Ramón Landeta, esta vez para jurar venganza por medios violentos. Un levantamiento indígena toma lugar en la mansión de don Luis Urrestas. Inmediatamente vuelven las tropas gubernamentales, habiendo sido enviadas para subyugar a los «salvajes». De esta manera, el ejército asegura la conservación del «prestigio de la Patria» y de «la cultura de la Nación».

Obligados a huir de la aldea, ya que han sido los incitadores, Játiva y Landeta logran hacerse camino hacia la capital. Debido a la salida de sus dirigentes, la masa india, integrada por cholos e indios, comienza una hégira hacia la metrópoli en busca de trabajo. Sus mujeres, dejadas atrás en la aldea para cuidar a la prole y el hogar, pronto se ven obligadas a prostituirse, corrompiendo a los jóvenes y degradando a los ancianos.

Por otra parte, las condiciones en la capital no son mucho mejores. Por ejemplo, Ambrosio Yáñez, un campesino que ha sido componente de la masa indígena, halla en su desesperación que la vida urbana puede ser aún más depravada que la vida rural: su hija Raquel es víctima sexual de tres malhechores. Irónicamente, el destino tuerce las vicisitudes, y en poco tiempo hallamos a Ramón Landeta como empleado de una fábrica que don Luis ha establecido en Quito: su trabajo es el de portero de la misma. En cambio, José Manuel Játiva ingresa en la Policía Nacional, con el número de identificación 120. Esta organización está compuesta de cholos en su mayoría —seres que en esa ocupación esperan obtener una nueva condición social. Los líderes de los sindicatos de trabajadores fomentan una huelga entre los descontentos cholos empleados por don Luis. La Policía Nacional, incluyendo nuestro número 120, corre al auxilio del magnate. En una escena llena de ironía, al tratar de huir Landeta de la situación caótica que sobreviene, es víctima mortal del cuchillo manejado por José Manuel Játiva.

En las últimas páginas de la novela, don Luis Urrestas intenta obtener una posición clave en el gobierno nacional. Para ello logra el apoyo incondicional de la Policía Nacional, y de los indios y de los cholos de Chaguarpata. Su medio para alcanzar ese respaldo es el alcohol. Al encontrarse las fuerzas de don Luis con las de su adversario —aclamado éste por el ejército y la masa indígena del pueblo de Pintag— una lucha sangrienta tiene lugar. El cholo José Manuel Játiva, transformado por el símbolo de la placa policial número 120, resulta herido seriamente en el encuentro. Inútilmente trata de detener la lucha fratricida, ya que se da cuenta que ella trae beneficios solamente para la minoría blanca. La novela termina con el ruego del cholo moribundo. Es esa situación final la que hace que Játiva paradójicamente empiece a entender la vida a la hora de su muerte. Ese final es épico en el mejor sentido de la palabra: la muerte de Játiva no es presentada como infecunda, sino como un abono vital para una mejor cosecha social en la sociedad ecuatoriana.

En la novela *En las calles*, Icaza sigue la lucha ideológica de toda su novelística: la de realizar justicia social para todo ciudadano de la sociedad ecuatoriana. El novelista, sin embargo, se supera en la riqueza de detalles objetivo-psicológicos. Al mismo tiempo que presenciamos la corrompida vida de la urbe, somos testigos de los sufrimientos vitales que padecen los angustiados cholos en la ciudad, adonde han ido en busca de solución para sus sinsabores y desgracias. Nuestro autor nos hace pensar en los escritores naturalistas franceses del siglo XIX, al ofrecernos sus tipos abnormales, debido a la fuerza del medio. Es en esa manera que el lector ve el mundo caótico de Quito

—un mundo poblado de prostitutas, perversos sexuales, alcohólicos, y una caterva de degenerados en desacuerdo con una sociedad sana.

Podemos señalar que en esta novela —así como en *Huasipungo*— Icaza se esfuerza en delatar la falta de humanismo compasivo, de la comprensión, y de la relación fraternal entre los grupos étnicos que forman la sociedad de su país. Una vez más, el autor apela a sus conciudadanos que abandonen los prejuicios raciales en favor del establecimiento de una democracia verdadera, con justicia e igualdad para todos. La arraigada hostilidad que existe en la sociedad ecuatoriana entre, 1) la aristocracia, que discrimina contra el cholo y el indio, y 2) el cholo, que a su vez, discrimina contra el indio, se refleja muy claramente en la obra *En las calles*.[3] En una ocasión, al presentarles José Manuel Játiva a sus compañeros cholos de Chaguarpata el apuro de los desgraciados indios —el de morir de sed— él no logra vencer su insuperable indiferencia:

> Automáticamente y con el cinismo de quienes al recibir la desgracia que les imponen los de arriba la echan a los de abajo, se oyó por todas partes frases de inhumana urgencia:
> —No faltó más.
> —¿Por ellos vamos a sufrir nosotros?
> —Indios no más son.
> —Como animales viven.
> —Acaso sienten, pes.
> —Así dicen los patrones.
> —Así dice la gente blanca que sabe.
> —Les venden con la tierra como a los pencos, como a las vacas.
> —Nosotros somos nosotros.[4]

En otra ocasión, mientras el cholo Ambrosio Yáñez y su hija Raquel se dirigen a la capital, un cholo expresa su sentir, al decir en un tono despectivo que «los runas son como los árboles, como las cabuyas. Como quien vuelve atrás hacia la bestia». (pág. 317). Un tercer ejemplo que refuerza nuestra tesis del desprecio del cholo hacia el indio se presenta al expresarse José Manuel Játiva en relación con las tareas serviles que comúnmente van asociadas con el mundo indígena. A pesar que no le es posible sostenerse en su situación, nuestro personaje rehusa ser empleado como cargador de transporte:

> —Lo mejor, cholito. Lo mejor sería ver otro trabajo —propuso al descuido el cholo José Manuel. En realidad, deseaba liquidar aquel pro-

yecto en cualquier forma. No por miedo a don Luis Antonio Urrestas. No. En lo más profundo de su espíritu palpitaba una aversión, un asco, por todo aquello que podía identificarle con las ocupaciones propias de los indios. (pág. 337).

Especialmente en esta novela Icaza nos muestra la burla de la que hace gala el blanco de Quito al hacer víctima al cholo demasiado entusiasta. Éste logra hacer que el blanco se sienta inseguro frente a la fuerza económica que puede sobrevenirle al cholo. Un excelente ejemplo de este caso lo hallamos en la entrevista personal entre el Ministro de Gobierno y don Luis Antonio Urrestas. Conocedores del hecho que el indio muestra una resignación casi animal ante la explotación blanca, sospechan de la instigación de los cholos. Son éstos los que no aceptan tal sistema de usufructo: «—Estos cholos amayorados son un verdadero problema nacional. Cada vez crecen y se avivan más. Los reclamos son diarios. Las quejas son atrevidas.» (pág. 277). En otra ocasión, es un burócrata blanco —un demagogo que ayuda a don Pablo Solano del Castillo en su campaña para obtener una posición de alto nivel político— quien se expresa: «El cholo es enemigo del blanco.» (pág. 374).

El velorio de Consuelo constituye un cuadro folklórico imponente en la novela *En las calles*. Descrito el ambiente musical que llena la morada, el autor nos hace oír las lamentaciones en forma de letanías —todo ello enmarcado en un cuadro primitivo— de los cholos que, siendo víctimas eternas de una mezcla racial, expresan el dolor de vegetar en una vida llena de desesperanza y desilusión. Bastante primitivo y conmovedor es ese aspecto de la ceremonia en el cual se narra cómo el joven Francisco toma alcohol por primera vez, y termina ebrio. Lo que se nos ha pintado ha sido un acto ritual de iniciación a la madurez. Esto es irónico, ya que los resultados serán otros muy distintos: una forma de escapismo multiforme:

Ambrosio Yáñez —remendón de zapatero—, que en ese momento repartía en guacho una botella de aguardiente, creyó oportuno ofrecer al huérfano una copa:
—Toma. Ojalá sea el primer trago de la vida, pes.
—Sí, guambra. Como remedio —murmuraron en coro de voz baja las mujeres.
—Así te haces hombre, pes —concluyeron los cholos desbaratando los escrúpulos del pequeño.

62

Y ante la mueca de asfixia de Francisco después de tragar el líquido, el cholerío se enredó en comentarios de burla y de esperanza.

—Las primeras gotas amargas que caen sobre el guambra.
—Ojalá le den coraje para no llorar.
—Para hacerse arishca. [acostumbrado] (págs. 297-298).

El tema revolucionario de *En las calles* encuentra un antecedente en la novela *Los de abajo,* de Mariano Azuela. La más acabada novela de la Revolución Mexicana de 1910 declara en el título y en el contenido el fracaso de lo anhelado. Ambas obras muestran al pueblo como víctima de una clase insensible y egoísta que los explota sin cesar. En *Los de abajo,* el demagogo es Luis Cervantes. Es él quien instiga a Demetrio Macías y a sus seguidores:

¡Lástima de tanta vida segada, de tantas viudas y huérfanos, de tanta sangre vertida! Todo, ¿para qué? Para que unos cuantos bribones se enriquezcan y todo quede igual o peor que antes.[5]

En la novela de Icaza, tenemos al cholo moribundo, José Manuel Játiva, expresando la misma actitud vital, al advertir a cholos e indios la paradoja trágica de su lucha civil:

Trataba de decirles que luchaban por los asesinos de la que fue su mujer, por los que le obligaron a matar al amigo, por los que le arrancaron de la tierra, por los que le separaron del guambra Francisco. (pág. 453).

Las dos novelas describen el pillaje y el despojo a que son sometidos los difuntos combatientes. Estas escenas reflejan muy a lo vivo la tragedia inherente en toda guerra civil; en su descripción, tanto Icaza como Azuela han sabido pintar eficazmente el horror social. Otra de las características que aúnan temáticamente ambas obras consiste en la presentación de los personajes como seres estoicos y resignados con su sino. Todo esto va unido a una indiferencia pasmosa hacia la muerte. Esto se puede ver claramente en el episodio en el cual Demetrio Macías, al ser informado por su compadre Anastasio Montañés de la muerte de una prostituta y dos reclutas, replica fríamente: «—¡Psch!... Pos que los entierren...»[6] Esta falta de humanidad hacia los muertos se halla también en la novela de Icaza. Un sargento primero, impresionado visiblemente por la muerte de su ayudante, relata su inquietud a su superior. Este oficial le contesta: «—¿Y por eso se pone así? Busque un reemplazo.» (pág. 443).

Aunque en la novela *En las calles,* Icaza emplea de vez en cuando unas imágenes animales relacionadas con el indio, aparecen con menor frecuencia que en *Huasipungo.* Sobre todo, esto es debido al hecho de que casi toda la novela tiene lugar en la urbe capitalina, con el resultado que ahora otra clase social —la de los cholos— le interesa más a nuestro novelista. Es de notar, sin embargo, que aunque el indio sigue siendo comparado con el *perro,* el *cerdo* y el *gusano,* Icaza usa algunas imágenes distintas. En la segunda novela de Icaza, algunas asociaciones se presentan entre los indios y las *lagartijas* («como *lagartijas* del chaparro», pág. 424), los *toros* («como a *toros* bravos», pág. 424), y las *mulas* («como a *mulas* chúcaras», pág. 425).

Por otra parte, la habilidad de nuestro autor al describir los personajes de *En las calles* se supera. Estos caracteres están muy bien logrados. Icaza utiliza una increíble economía de vocablos y unas pinceladas bien apropiadas para poder poblar su mundo novelístico. Esta excelente habilidad en la caracterización nos recuerda a Benito Pérez Galdós en su mejor logro. Sobre todo, la técnica empleada por ambos autores al dar vida a sus personajes ficticios se centra generalmente en la descripción de las características físicas. Dotados de un poder agudo de observación y de un profundo conocimiento de la psicología humana, los dos novelistas tienen mucho éxito en la creación de sus personajes literarios. Desde el punto de vista estructural, al ser presentado un personaje en la novela de Icaza, por lo general su nombre introduce una cláusula abierta que va precedida y seguida de guiones. Es precisamente dentro de estos guiones que Icaza nos ofrece, por medio de unos toques rápidos que reflejan la destreza de maestro, la fisionomía del personaje. Por ejemplo, la descripción del cholo Ambrosio Yáñez es una de las mejores que podemos señalar. Aunque están en relieve los rasgos físicos del zapatero cholo, sin embargo, se nos presentan también algunas características que nos informan de su modo de vivir:

Los escándalos... y la falta de trabajo, obligaron a taita Ambrosio Yáñez —zapatero remendón, arrugado, sucio, rotoso, barba entrecana, amarillos de nicotina los bigotes, borracho el sábado y el domingo, chuchaqui el lunes y el martes, hediondo a peras podridas el miércoles y el jueves, humilde artesano el viernes —a huir del pueblo como los otros. (pág. 313).

Aunque los casticistas puedan expresar alguna crítica ante esta técnica empleada por Icaza entre guiones, diciendo que tiende a confundir y a distraer la atención del ritmo de la frase total, nosotros no podríamos compartir tal opinión. Por el contrario, creemos que, al enjuiciar tal estilo en un modo amplio, el autor logra un avanzado alcance de efectividad.

A lo largo de nuestro itinerario crítico de *En las calles,* hemos indicado que Jorge Icaza expone en esta obra un cuadro convincente de los males que presenta la estructura social de la región urbana del Ecuador. Del mismo modo que en *Huasipungo* y en *Huairapamushcas* Icaza señaló las imperfecciones de una sociedad caracterizada por la corrupción y depravación de una minoría blanca que vegeta explotando el perpetuo sufrimiento del indio y del cholo, así también en *En las calles,* nuestro novelista acusa la realidad sociológica que existe en Quito en pleno siglo XX. Para ello, ha ampliado su técnica narrativa hasta lograr hacer de esta novela una obra que unifica la temática pretérita con la de la angustiada vida urbana del Ecuador.

NOTAS

[1] Es interesante el hecho de que aunque la comunidad chola, dentro de sus confines inmediatos, se queja de las dificultades ocasionadas por el nuevo rumbo del río, ni un miembro del pueblo de Chaguarpata se atreve a incorporarse al grupo de indios que se dirigen directamente a la capital para pedirle justicia al Presidente. Aquí, nuestro novelista parece criticar la inhabilidad de los cholos para actuar en grupos al perseguir proyectos organizados y constructivos. Además, el episodio representa un ataque contra el cholo por haber rechazado la oportunidad para defender la causa de la justicia y la honradez por parte del indio, debido al miedo que tiene de perder el favor personal del blanco latifundista, quien guía su destino.

[2] El tema de los males de la burocracia ecuatoriana se trata extensamente en la última novela de Icaza — *El chulla Romero y Flores.* Al conocer en la novela *En las calles* este caso de la ineficacia absoluta y la inclinación hacia la venalidad por el empleado público dentro del gobierno ecuatoriano, todo lector conocedor de la literatura española debe acordarse del inolvidable cuadro de costumbres, *Vuelva usted mañana,* del autor español del siglo XIX, Mariano José de Larra, en el cual se satiriza la inercia española, sobre todo en la burocracia del país.

[3] Estas relaciones sociales se discutirán más ampliamente en el capítulo siguiente de la presente monografía.

[4] Jorge Icaza, *Obras escogidas* (México: Aguilar, 1961), págs. 257-258. Es ésta la edición cuyas páginas siempre citamos entre paréntesis en el texto.

[5] Mariano Azuela, *Los de abajo* (México: Ediciones Botas, 1949), págs. 77-78.

[6] *Ibid.,* pág. 115.

CAPÍTULO V

EL CHOLO COMO UN ENIGMA SOCIAL: SUS AMBICIONES,
ANSIEDADES, COMPLEJOS Y FRUSTRACIONES, VISTOS
A TRAVÉS DE UNA TRILOGÍA DE NOVELAS *(CHOLOS,
MEDIA VIDA DESLUMBRADOS* Y *EL CHULLA
ROMERO Y FLORES)*

> La raza blanca y la cultura occidental impu-
> sieron su predominio desde la hora del descu-
> brimiento como arquetipos de superioridad y
> excelencia. Y la tragedia del mestizo se origina
> en lo que tiene y en lo que no tiene de esa
> casta de la cual procede sólo en parte, y a la
> que desearía pertenecer plenamente. De donde
> nacen su resentimiento y su complejo de in-
> ferioridad.
>
> (Valentín de Pedro, en
> *Letras del Ecuador,* octubre, 1959)

La trilogía representada por las novelas *Cholos* (1938), *Media vida
deslumbrados* (1942) y *El chulla Romero y Flores* (1958) refleja fielmente los problemas socio-psicológicos que caracterizan la existencia
vital del cholo ecuatoriano. Siendo el producto humano de la mezcla
racial del Ecuador, en cuanto nace se halla atrapado enigmáticamente
en el punto medio de la escala social, y suspendido entre los dos
extremos de ella: el indio y el blanco. El único medio que se le ofrece
para poder lograr una preeminencia socio-económica consiste en la
asimilación física y cultural del mundo del blanco —por el modo de
vestir, de hablar, y de la conducta social. Debido a este propósito

de fe inquebrantable de parte del cholo ecuatoriano, él llega a ser odiado por los otros dos extremos raciales. Es mirado con aversión por el indio, porque para éste el cholo pasa a ser un traidor o renegado en su rechazo de su herencia indígena. Al mismo tiempo, es mirado con menosprecio por el blanco, ya que para la aristocracia el cholo representa un peligro para su seguridad económica y su prestigio social. De este modo, nuestro cholo —víctima de la herencia racial, circunstancia sobre la cual no tiene ningún poder— es considerado como un ser atrapado entre Escila y Caribdis.[1] Claude Couffon, al comentar esta situación en *Letras del Ecuador,* la detalla ilustrando las argucias del cholo, quien, al tratar de afiliarse al blanco, desdeña con desprecio al indio siempre que esto le sea ventajoso al cholo:

El cholo juega frente a los indios con la superioridad que le da su piel más pálida. Consciente de esta superioridad y dispuesto a vengarse en los humildes las afrentas infringidas por los fuertes, es el ejecutante de las órdenes del blanco, es el hombre de confianza encargado de supervigilar y castigar necesariamente al ganado humano de las haciendas y los grandes latifundios, en una palabra, de mantener en la esclavitud a una raza hambrienta y trémula. En ocasiones el cholo se eleva en la sociedad... por préstamos hábiles, importantes dominios y consigue para su provecho la mano de obra indígena de otras haciendas, acabando por tornarse en un momento un cacique poderoso, en tanto que se hunden, arruinados y abatidos, los antiguos señores. Tan ambicioso, tan tiránico como aquellos a quienes ha reemplazado, estimula en los siervos que domina, los mismos vicios —el alcohol, en particular—, la misma inconsciencia perezosa, la misma desesperación de haber nacido indio. Si la sangre india que corre en sus venas le permite a veces algunas concesiones, ciertas aspiraciones idealistas, rápidamente las reprime, obligando a imponer por la audacia y por la fuerza su aire presente de «clase superior».[2]

Una vez que se haya estudiado las estadísticas en cuanto a índices de población de toda Hispanoamérica, se comprende el por qué de la popularidad de la figura del mestizo en la literatura contemporánea. Según Francisco Ferrándiz Alborz, el censo de 1950 señala que, de un total de 110 millones de habitantes en la América hispana, había 15 millones de indios y 42 millones de mestizos.[3] Al considerar la población del Ecuador, se ve que 13,8 % son blancos, 57,6 % son indios y 24,8 % son cholos.[4] Es de importancia mencionar el hecho que José Vasconcelos —el ilustre filósofo y ensayista mexicano— creía que era imposible lograr la amalgama racial y cultural («raza cósmica») que se necesita en Hispanoamérica, sin la representación indispensable del mestizo.[5]

En la trilogía de Jorge Icaza se puede ver las ansiedades y frustraciones que, embebidas en la personalidad de nuestro cholo, le impiden lograr una armonía social. Esta serie de conflictos se encuentra realizada por una magnífica técnica novelística desarrollada por el escritor ecuatoriano. En estas novelas Icaza ahonda mucho la caracterización. De un Icaza socio-económico pasamos a un Icaza psico-metafísico. La aglutinante masa indígena de *Huasipungo* desaparece para dar lugar a personajes bien desarrollados, los cuales reflejan filosóficamente sobre lo trágico de la existencia humana. Entre estos caracteres la figura más destacada de las novelas *Cholos, Media vida deslumbrados* y *El chulla Romero y Flores* es la del cholo.

En *Cholos,* Icaza nos relata el cambio de situaciones sociales de dos ecuatorianos con diferentes antecedentes. Don Braulio Peñafiel es un latifundista blanco, en todos sus antecesores, que pertenece a los vestigios de una aristocracia española católica. El segundo de nuestros personajes —Alberto Montoya— es de ascendencia de blancos y cholos, y es hereje en su creencia religiosa. Don Braulio, obligado a abandonar la vida palaciega que ha gozado en Quito hasta ahora, trata de recuperar su posición social. Para ello, supervisa personalmente su propiedad en la cercana aldea india de San Isidro. Allí lo vemos víctima de un complejo emocional que resulta de la necesidad de adaptarse a su nueva situación socio-económica. Debido a esto, don Braulio se emborracha muy a menudo y lleva una vida disipada y amoral. A pesar de estar casado con Carlota, logra seducir a su criada india, Consuelo. Gran parte de la problemática de Peñafiel se debe al hecho de que se ve obligado a agradecer la ayuda económica que su vecino —el cholo Montoya— le ha dado. El problema se hace cada vez más agudo para don Braulio, debido a sus fuertes prejuicios raciales. Su conflicto psicológico consiste precisamente en su inhabilidad de aceptar el hecho de que su existencia depende directamente de la ayuda de un cholo.

Por otra parte, Alberto Montoya representa el arquetipo del cholo que obtiene éxito socio-económico. Este protagonista también se encuentra frustrado psicológicamente en su nueva posición de latifundista y acreedor. Aunque Montoya manipula la vida del aristócrata venido a menos con toda la destreza de un titiritero experto, él es víctima de un complejo de inferioridad, porque don Braulio, su adeudado, llega a ser al mismo tiempo su modelo de aspiración, ya que éste es reconocido en los círculos sociales que ignoran a Montoya. Así es que el cholo Montoya, aunque ha logrado hacerse bastante rico, todavía se ve rechazado por una hostil sociedad discriminadora.

Las frustraciones inherentes en estos personajes forman la temática de la novela *Cholos*. Esta perspectiva de Icaza hace de esta novela una obra universal, ya que esas características humanas se hallan por todo el orbe. A través de toda la novela, el autor insiste en la tentativa de parte del cholo para liberarse de sus fundamentos étnico-raciales. Al maltratar al indio, el cholo revela claramente la hostilidad de su propia situación trágica, ya que transfiere al indio el malestar que le causa a su clase chola el blanco. Esta situación se ejemplifica en *Cholos* cuando un indio octogenario defiende dramáticamente a uno de los suyos, falsamente acusado de ladrón por Montoya, cayendo de rodillas el viejo y agarrándose de la pierna del cholo, a quien le ruega justicia. En vez de obtener lo que solicita suplicante, es empujado a un lado, insultado y dado de puntapiés por su medio hermano racial:

—¡Amitu, pur taita Dius, vi pis...! Nusutrus nu ladrones... Nusutrus nu bandidus... Nusutrus súlu trabajandu... Oi pis a pubris naturales... —Suéltame, indio bruto, me vas a ensuciar.[6]

Otro tanto hace el joven Guagcho —hijo ilegítimo de don Braulio y de la sirvienta india Consuelo— al discriminar contra los indios de la propiedad de Montoya. Nombrado como lugarteniente debido a ser «medio blanquito», Guagcho se niega a aceptar a la horda de trabajadores indios como compañeros. En realidad, los maltrata, ya que los culpa, en su subconsciencia, de su complejo racial. Al fin y al cabo, el vínculo natural que une al indio y al cholo es pintado por Icaza como algo fuerte e irresistible. De especial interés en *Cholos* es la caracterización de los cholos de Quito, quienes, a pesar de haber alcanzado una elevada posición social, al llegar a la hacienda de Montoya, experimentan una nostalgia inmensa y una íntima satisfacción. El mensaje de nuestro novelista es muy claro: el cambio de medio ambiente desde su circunstancia inicial a la vida urbana, y los lazos espirituales que se aúnan por medio de la sangre son constantes sociales que no pueden cambiar, básicamente, la realidad racial. Espíritus exiliados, vuelven a su hogar inicial:

> Se sentían los visitantes sueltos de sus amarras, ansiando llegar a un primitivismo despellejado de recuerdos y que no desentone con el paisaje: girar, bailar, echarse sobre la hierba cara al cielo, agotarse en los largos paseos, entrar en las chozas miserables de los indios y comer cuyes con las manos, sentados en el suelo en esteras mugrientas, apagando la sed de la boca abrasada en ají con grandes mates de chicha de jera, manejar el hacha hasta las ampollas en las manos. En aquel retazo de vida sentían placer inusitado, ignorando las causas que alegraban ese primitivismo. Sentirse arrastrados por un deseo de saborearse indio en todas las manifestaciones, pero allí, donde nadie les veía, donde nadie podía saber que su satisfacción máxima la han encontrado junto a la tierra y en la libertad dada a su ancestro indio. Esa alegría no era otra cosa que el orgullo melancólico del desterrado que vivió fingiendo y ha vuelto a su sustancia aun cuando la encuentre amarga de salvajismo. (págs. 115-116).

El desprecio del blanco de la metrópoli hacia el cholo oportunista también se describe claramente en *Cholos*. En una festividad mariana, Guagcho, agotado y ebrio, no logra obtener alojamiento; obtiene, en cambio, insultos por ser un «cholo borracho» (pág. 167). En otro lugar de la novela, vemos una variante de este problema racial. Don Braulio Peñafiel se encuentra medio paralizado, debido a una caída. Imposibilitado de trabajar, se ve obligado a sobrevivir en una casucha en Quito. Cuando su esposa Carlota le comunica que intentará trabajar con una costurera chola, el desesperado Peñafiel, preocupado por «el qué dirán», se opone tenazmente a ese intento: «—¡No! ¡Imposible! Tú, mi esposa, la madre de mi hijo, ir a servir a una chola costurera. ¡Jamás! Primero muerto. ¿Qué dirían nuestras amistades?» (pág. 136). Este extremo sentimiento de orgullo ancestral, el cual es representativo de la tradicional sociedad española, nos recuerda la trágica figura del hidalgo en la novela picaresca del siglo xvi, *Lazarillo de Tormes*.[7] No es poco irónico el hecho de que este falso sentido de orgullo que posee don Braulio permita más tarde la prostitución de su esposa en su propia casa para poder sufragar los gastos del envío de su hijo Lucas a la universidad. Durante el transcurso de una orgía sexual en casa de los Peñafiel —en la cual participan el cholo Montoya y sus amigos— mientras el paralítico esposo parece estar dormido en su habitación del segundo piso, Carlota, al ser llamada prostituta por Montoya, intenta quebrarle una botella sobre la cabeza, gritándole locamente y llamándole ladrón, por haberle robado a su familia el prestigio social que antes le pertenecía: «Fuera de aquí, ladrón. Sí, ladrón, que nos robó todo lo que era nuestro, y ahora se hace el bueno, el honrado. ¡Ladrón! Al fin, cholo. ¡Indio!» (pág. 146). Con estas ásperas acusaciones, más agravantes que cualquier castigo físico, ella destroza el sueño de Montoya: escapar a través de la riqueza material del estigma de ser mestizo.

La denuncia de Jorge Icaza en contra la conducta del clero —aspecto discutido en los capítulos anteriores— se renueva en *Cholos*. Esta vez se centra en la descripción de la relación comercial entre el cura y Alejandrina, la concubina de Montoya. En esta novela el lector es testigo de los procedimientos de un «misericordioso» cura, quien, después de rogarles a sus parroquianos por velas para dedicarlas a varios santos, colecciona éstas en cuanto las recibe, y las vende, secretamente, a Alejandrina. Esto constituye un ciclo cerrado, ya que fue de Alejandrina que los fieles las compraron inicialmente. El joven Guagcho se encarga de servir de medio para la relación existente entre el cura y Alejandrina. En su primer viaje desde la iglesia a la tienda, cargado de esas velas que fueron vendidas a los creyentes, compradas más tarde con descuento por Alejandrina, y vueltas a vender muchas veces a la gente poco sospechosa, Guagcho es amaestrado en su nuevo papel por el avariento «taita curita»:

Con pericia extraordinaria fue arrancando algunas velas que alumbraban el altar del Cristo de la sacristía, y mientras las arrojaba al canasto iba murmurando:

—Toma la yapa... Verás como va rebosando. Y decile a tu patrona: que es mi señora Alejita, que si podrá mañana reunirme unos cinco sucrecitos. Mañana lunes como salen tantos chagras arrieros para tierra arriba le he de mandar más compradores de velas. Que ya he mandado a hacer otro charol, que ahora sí va a ser fuerte la cosa. No te irás a olvidar. ¿A ver, cómo vas a decir?

Después de un ligero titubeo y entre hipos de respiración contenida, el pequeño rezó el recado.

—Te olvidaste de lo principal. «Que es mi señora Alejandrinita». (pág. 73).

En *Cholos,* el mundo primigenio de los indios, descrito detalladamente en *Huasipungo,* reaparece con su exasperada angustia. Consuelo, la sirviente india de don Braulio y víctima de su concupiscencia,
es despedida por haberle servido café al amo en una taza sucia.
Obligada a emprender el camino a su hogar, sola y preñada, se dirige
a su marido, Julián Chango. En su ruta hacia su meta, no consigue
ayuda de parte de los cholos que halla en su camino. A medida que
se aproxima a su choza, se ve poseída de emociones mixtas. Por una
parte se siente aliviada ya que va acercándose a su medio y a su
marido; pero, por otra parte, se siente llena de vergüenza ya que
llega embarazada de un niño ilegítimo. Consuelo llega a su hogar
herida profundamente por el hombre blanco, procedimiento repetido
innumerables veces desde la llegada del español a avasallar sus ascen-
dientes cuatro siglos atrás (pág. 27). En la descripción del nacimiento
del niño de Consuelo, Icaza le ofrece al lector un profundo sentido
de la naturaleza del indio, una razón de ser que se establece en un
primitivismo medio animal y medio humano. Después que Consuelo
y su marido huyen a los bosques en busca de un medio desolado para
el nacimiento del niño, Julián, que sirve de matrona, consuela y ayuda
a su mujer, al cortar el cordón umbilical con sus propios dientes,
atando éste con corteza de árbol. Después, al sentirse poseído por las
memorias desoladas de las noches en las cuales no encontraba la satisfacción sexual en compañía de su esposa, especialmente la de la noche
de su boda —ya que quien poseía a su mujer era don Braulio—
Julián reacciona violentamente. Se siente poseído por un deseo incon-
trolable de poseer a su mujer y, en un acto bestial, se abalanza sadísticamente sobre Consuelo:

—Estarist'echada, nú... Isperarís un raticu para curarte —repetía el
indio con las manos embarradas, pastosa la boca por un sabor salado
de sangre, postrado de rodillas contemplando el cuerpo de la mujer de
la cual nunca recibió las primicias sexuales, sintiendo la invasión de grandes oleadas de una cosa inexplicable, como si quisiera desembuchar todo
lo que, desde siempre, llenábale de amargura. Ese crío baboso, rojo como
ratón tierno, apuraba más y más todo el despecho sádico; ese crío traído
de... Él no sabía de dónde, y si lo sabía subconscientemente, no se
atrevía a gritar a pulmón lleno. La india parecía ofrecerse abierta y
sangrante. Toda la repugnancia humana se trucó en deseo. Recordó claramente la manera cómo los machos del cuy esperan el parto de la

hembra: peleándose, mordiéndose, matándose si es posible, y cuando pare precipitándose el más fuerte para cubrirla, para hacerle suya. Él era ahora el más fuerte, aun cuando no quería creerlo. El silencio le afirmó en un sí de murmullo de follaje. Hasta el monte no vendrán ellos. Había que apurarse, precipitadamente como el cuy. Se acostó sobre la parturienta sangrante. Por fin tendría la seguridad de un hijo suyo. La india Consuelo intentó rehuír pero el longo rogó entre vehemencias de súplicas y órdenes:

—Esperá raticu... Esperá raticu... Bunitica... Ricurishca. Se sació con furia salvaje en ese sexo vivo y palpitante de dolor, repitiendo como un maniático:

—Ricurishca... ¡Ricurishca! [8] (pág. 32).

En *Cholos,* podemos ver la habilidad artística de nuestro novelista —habilidad que ha ido creciendo a medida que se ha ampliado su obra. Como de costumbre en la novelística de Icaza, lo artístico va unido a la preocupación humana del autor por los problemas psicosociales del cholo y del indio. En la tercera y última sección de esta obra, titulada «Amanecer», Icaza emplea una vena retórica altamente eficaz, por medio de la cual el lector logra saber de acontecimientos pasados pero no mencionados antes en la novela. Lucas, el hijo de Carlota y de Braulio Peñafiel, encuentra sus notas que tienen título «Apuntes para una novela». En su calidad de profesor en la ciudad de San Isidro, Lucas ha creado en esos apuntes una descripción detallada de la desgraciada muerte de su padre, de la vergüenza y el deshonor que le ha causado la prostitución de su madre, y de su intensa pasión hacia Blanquita Montoya.[9]

Contar la muerte del viejo. Flores, luces, terciopelos negros, caras desconocidas, murmuraciones sospechosas, sobre el cadáver fétido. Relatar las angustias y los bochornos pasados por mamá en la búsqueda del dinero. Las exigencias de los parientes lejanos, de aquellos que nunca se habían acordado de nosotros, gestos hinchados de indignación pidiendo lujo para enterrar a Peñafiel. Miradas de odio para la vieja por no haber contratado una carroza super-extra. Lágrimas de indignación porque papá moría en la miseria y su mujer había sido siempre una loca que no le dio honor y festones finos en el sepelio. Referir de una manera cómica, evitando dolor de melodrama pasado de moda, el desfile de los muebles a las casas de empeño. Dar a comprender veladamente, cómo mamá ya no podía ganarse el entierro del marido con la venta de su cuerpo. Subrayar aquello de vejez, de cara arrugada, de depreciación en el mercado... (pág. 210).

En *Media vida deslumbrados,* la segunda novela de esta trilogía, Icaza continúa su penetrante análisis del conflicto psicológico del cholo —víctima, como hemos señalado, del blanco y del indio, desde los extremos de la escala social. Ya vimos que en *Cholos* nuestro novelista describió, en modo general, las desesperadas relaciones que existen entre el cholo, el indio y el blanco. En esta obra, se concentra, especialmente, en el intento de parte del cholo de disociarse de su propio grupo racial.

Apenas se nos presenta el mundo de sus protagonistas —uno lleno de amoralidad, promiscuidad sexual y prejuicios intrarraciales— cuando Icaza nos ofrece una completa configuración de diferentes tipos de cholos. Éstos comparten como característica común el resistir, imperiosamente, a la propia identificación con el indio o con otros productos de mezcla racial. Por ejemplo, al describir la relación existente entre José María Molina y su hijo, un abogado, Icaza satiriza el grupo racial compuesto por productos híbridos que, habiendo asegurado su bienestar económico a expensas del indio, hereda un falso sentido de nobleza y asume un aire indiferente frente a las desgracias de los cholos menos afortunados.

> Entre los más asiduos clientes del Conejo, se contaban: José María Molina, cholo fornido, de manos enormes, cara cuadrada, botines de rechín, con un haber de raterías como mayordomo, y de crueldades para los indios en su pequeña propiedad del monte donde dicen amasó el dinero suficiente para sostener los estudios de su hijo, hecho ya un doctor en la capital, orgullo del pueblo y motivo de estímulo y envidia del cholerío, a quien se le imaginan deslumbrante en su funda de botainas, jaque y hongo, libre de la cotona y de las alpargatas indígenas; razones más que suficientes para presumir de nobleza y usar rumbosidad altanera.[10]

Otro de los personajes ligeramente delineados por Icaza es Juan García, «el héroe de las revoluciones», un militar arrogante e irresponsable que tiene un hijo idiota, producto de sus relaciones ilícitas con la india Dolores. Representante de una clase venida a menos y arruinada económicamente, rehusa aceptar la realidad de su medio, retrayéndose a lo que considera su laureado pasado. Salvado de tener que mendigar por la ayuda de su concubina, Juan prefiere subsistir de las condecoraciones y medallas que le cubren el pecho, más bien que trabajar labrando la tierra como sus compañeros cholos.

Un héroe de su categoría no podía ensuciarse en el trabajo indigno de la tierra, ser un cholito con terreno para desmontar y sembrar a fuerza de hacha y barra, con cosa baja donde vegetan una mujer y unos guaguas, como el Teodoro Simbaña o el Juan Taco por ejemplo... (páginas 12-13).

A través de la descripción del sacristán de la aldea, Antonio Llerena, Icaza descubre la decadencia moral que cubre a la mayor parte de la clase social del cholo. Dedicado a vivir promiscuamente, se jacta de haber empreñado a varias mujeres. En una relación estrecha con el cura lascivo, ya un tipo bien conocido en la novelística de Icaza, Llerena ha logrado dominar muy bien las lecciones lúbricas que le ha enseñado su tutor:[11] «Tenía muchas hijas en diferentes mujeres. Si alguien le objetaba sobre el particular, respondía cínicamente: "Elé, mis sobrinos no más son... Taita cura tan sabe decir así cuando... ja... ja... ja..."» (pág. 13).

En la descripción física que hace Icaza del teniente político, podemos ver la actitud negativa que persiste en nuestro novelista al mostrarnos al cholo que explota, para sus propios fines, al indio y al cholo: «No faltaba nunca el Teniente Político, generalmente algún cholo, ex-mayordomo o ex-sirviente de casa grande, con botines de becerro sucios y despellejadas las puntas, vestido de casinete remendado el culo y los codos, camisa de cuello pringoso, boca hedionda a peras podridas, piel morena, lustrosa de sebo» (pág. 14).

No cabe la menor duda que el propósito que lleva Icaza al presentar este grupo de personajes —que aúnan en sí las peores características del blanco ecuatoriano— está orientado a mostrarnos la necesidad que el cholo debe tener de orgullo étnico y que éste tiene sus raíces en sus antepasados indios. Es el único camino que le puede redimir para una mejor vida en el futuro. Esta es, pues, la temática central de *Media vida deslumbrados*.

A través de la caracterización de Julia Oquendo y de su hijo Serafín, Icaza nos ofrece una visión trágica —ya presente en *Cholos*— de los esfuerzos de los cholos para ser aceptados en la sociedad blanca. En esta problemática social, vuelve el novelista a mostrarnos que el individuo no puede renegar su antepasado biológico-cultural y que, si intenta hacerlo, le espera el más profundo fracaso.

Al mismo tiempo que se nos describe la lucha épica que sostienen

76

Julia y Serafín contra los privilegiados blancos, también vemos la crítica del autor hacia el cholo por aceptar éste la actitud de desprecio hacia el indio. El caso sobresaliente es el de Antonio Oquendo, el esposo de Julia. A pesar de ser hombre de medios solventes, nuestro protagonista sigue usando poncho —característica comúnmente asociada con el indio pobre— y continúa desarrollando funciones caseras que cualquier indio peón haría por una miseria. Debida a estas características de su personalidad, él se vuelve foco de los ataques y burlas de sus camaradas cholos («"Antonio, ¿cómo va pes huasipunguito?"», pág. 15).[12] Más tarde, cuando los capitalistas extranjeros ofrecen empleos lucrativos a los cholos oportunistas, Julia, cegada por el brillo del oro, reflexiona con desdén hacia las cualidades que ella estima degradantes en su marido. «Este bruto metido en el pite tierra, con la barra, con el machete, con los huecos de lodo, como si fuéramos indios» (pág. 25).

La descripción de Icaza al mostrarnos el ritual que rodea a Julia cuando va a tener un hijo —ritual pagano-cristiano, medio inca y medio español— es ejemplar en cuanto refleja el vasto conocimiento que nuestro novelista tiene de la cultura indio-ecuatoriana. El pasaje que ofrecemos a continuación ilustra la intensidad y el agravamiento mental de Julia, al estar obsesionada con la esperanza que su hijo tenga piel clara, para que sea aceptado más tarde en su carrera profesional. En él se refleja también el hecho de que aunque la distinción racial en la sociedad ecuatoriana está basada principalmente en el prestigio económico y social, también se considera importantísimo el blancor de la piel.

Aquellos malos ratos los pasaba ofreciendo una vela a la Imagen de la Virgen que guarda la cabecera de la cama orlada de un centenar de estampas de santos. Se quitaba los debajeros, se alzaba la camisa, se frotaba con la vela el vientre deforme, el ombligo estirado, mientras hacía gestos de dolor, de angustia al cuadro bendito. A veces al encender su ofrenda y empezar el rezo estremecía la «voz del gringo». Ella se quedaba inmóvil, con la cara sudorosa, agarrándose con las dos manos la barriga, sintiendo los movimientos uterinos de la criatura, mirando entre las manchas lumínicas de sus ojos, la visión de un niño adorable por lo blanco. Entonces se le amortiguaba el dolor, agradecía a la Virgen con una mueca entre sonrisa y llanto, resbalándose por sus aspiraciones: que sea un doctor como el hijo del José María Molina para que las cholas se queden boquiabiertas, o un taita curita con sotana nueva, con muchas hijas de confesión, que las gentes se arrodillen a su paso y nadie se atreva a contradecir sus milagros. (págs. 29-30).

Al nacer el niño, llamado Serafín («como los angelotes que sostienen en el altar mayor el tabernáculo»), y al intuir la madre un color claro que no existe en la piel de su prole, empieza la tragedia de Julia Oquendo, ya que ella se mantiene resuelta, a todo trance, a educar a su hijo en la tradición del blanco ecuatoriano.

Hemos mencionado, en varias secciones de este estudio, que existen una serie de elementos que se repiten consistentemente en la novelística de Icaza. Esta repetición, utilizada por Icaza para poner de relieve ciertas características sobresalientes, y para lograr una unidad temática por todas sus novelas, está presente en *Media vida deslumbrados*. Consideremos, por ejemplo, la actitud de desprecio constante del blanco hacia el cholo y el indio —actitud que se extiende desde el ápice hasta la base de la pirámide social ecuatoriana. Obligado a llevar consigo el peso de la degradación y del maltrato físico que sus blancos compañeros de estudios le imponen, Serafín Oquendo termina por aceptar, resignadamente, el estigma racial heredado por su raza. Con el fin de compensar su sentir humillado, él transfiere su encono y hostilidad hacia el indio, sin reflexionar en la injusticia de sus actos al forzar, cruel y sadísticamente, a las jóvenes indias:

> ...creía natural y hasta lógico que los muchachos presumidos de la ciudad, con papá de jaqué y zapatos de cuero de hule, se burlen de su vagancia, impidiéndole poner voluntad para defenderse; creía humano y corriente abusar de las indias jóvenes, por doncellas que sean, en la misma forma, humana y corriente, con la cual el latifundista dispone de centenares de familias aborígenes... (pág. 55).

Persiste en *Media vida deslumbrados* un elemento que ha tenido significativa importancia en la novelística anterior de Icaza: la lucha del hombre para imponerse al medio violento que le rodea —caso por lo demás común en las obras maestras del criollismo hispanoamericano, como *La vorágine* y *Doña Bárbara*. En *Media vida deslumbrados*, se repite lo ya descrito en *Huasipungo*: la imagen de la creciente que, cual gigante que se despierta enojado de un profundo

78

sueño, se personifica como verdadero protagonista al atormentar trágicamente a las pobres víctimas atrapadas en su torrente. Y una vez
más, en esta quinta novela de Icaza con el mismo rigor de la primera,
los lamentos fúnebres del indio —especie de eco que paralela el coro
de la tragedia griega antigua— llenan el aire:

> —Aura ca juera.
> —Undi para trabajandu.
> —Undi para trabajandu, ni tierra arriba ni tierra abaju.
> —Guagua sha... Ay... Ay...
> —Taita vieju sha... Ay... Ay... Ay...
> —Cumu murticina in ludu quidandu. Ay... Ay... Ay...
> —Sin taita amitu qui diga qui'ay qui'acer pes... Aun qui sía cun acial
> tan, cun palu tan, cun machete tan...
> —Qui mandi a runa brutu... Ay... Ay... Ay... (pág. 59).

Aunque se aceptara que estas semejanzas temáticas sirvan para unifi-
car las seis novelas de Icaza, es necesario recalcar que el propósito
primordial de este capítulo —el nefasto impacto psicológico que sufre
Serafín Oquendo al tratar de emular al blanco aristócrata— se presta
ahora para una mejor exposición.

A pesar de recibir la aprobación y el halago de la fanática mama
Julia para que Serafín imite las características e intereses vitales de los
gringos capitalistas recién llegados en el país, éste halla que sus circunstancias raciales no le permiten identificarse con otro modo de ser
o con otro idioma. En un inútil intento de asemejarse físicamente al
gringo, Serafín despilfarra los ahorros que su madre ha salvado de la
venta de su terruño y de los ingresos de la venta de tortillas para
poder comprarse ropa similar a la usada por los forasteros y lograr
teñirse el pelo rubio. El resultado inevitable y previsto de dicha falsa
actitud es que él es objeto de la mofa de sus camaradas, los cuales
siguen considerándolo cholo aún.[13] En varias secciones de la novela,
Icaza logra comunicarle al lector las frustraciones de Serafín, al ser
identificado y burlado tanto por los cholos como por los blancos.
De especial interés son esas escenas que reflejan los complejos de
inferioridad de nuestro protagonista, sobre todo al encontrarse en la
casa de una viuda blanca, doña Josefina, y su hija casadera, Laura.
En una ocasión, cuando la coqueta Laura inocentemente se muestra
curiosa sobre los antepasados de Serafín, éste se traiciona al referirse

a su padre con el nombre de *taita* —palabra solamente de uso indígena—, enojándose ante su error:

—¿De qué Oquendo es usted?... ¿Qué familia?
Todo rojo. Abierto un abismo a sus pies, surgió la respuesta en auto-
matismo inconsciente:
—De los de mi taita...
—¿Taita?... Ja... Ja... Ja...
Del fino cristal romántico, hecho trizas, surgió en aquel instante el
latigazo en pleno rostro, la burla en pleno pecho. Serafín sintió la enorme
vergüenza de verse desnudo, de haber sido descubierto, la vergüenza
terrorífica de «nuestro padre Adán»: sentir a su yo miserable. Lanzó
un carajo y se refugió en el cuarto. (pág. 88).

En otra oportunidad, al ser introducido en sociedad en una tertulia
ofrecida por doña Josefina para halagar a varios politicastros, Serafín
se siente torturado por el temor de ser desenmascarado de su preten-
dida posición social. Una vez más, la verdadera personalidad de él se
deja ver, lo cual resulta en una serie de insultos por parte de sus
antiguos compañeros del Colegio de Ambato:

—Longo Patriarca.
—Conozco a la madre... ¡Vende tortillas!
—Se ha pintado el pelo... Nada más...

. . . .

—Longo atrevido.
—Insolente. (pág. 109).

Trágicamente consciente de su fracaso al no ser aceptado en los her-
méticos círculos de la blanca aristocracia ecuatoriana, Serafín, el
rebelde rechazado, parece aceptar estoicamente su situación social.
En realidad, Icaza nos lo presenta como un exponente numérico, ya
que su sino no es suyo exclusivamente, sino genéricamente: es de
todos los cholos.

Es de mucho interés la relación que el novelista ecuatoriano hace
—desde el punto de vista socio-literario— del regreso de Serafín a su
hogar. Derrotado y amargado con esa sociedad de estatutos sociales
rígidos que favorecen a los de arriba, se acerca con paso lento a sus
medios naturales, al lugar de su gente. Allí se comunica —embriagán-
dose— con la naturaleza, la cual extiende su bienvenida a su hijo

exiliado. En ese medio y comunión de hombre y medio ambiente, Icaza abandona momentáneamente su papel de relator objetivo para pintar artísticamente un cuadro de la personificación de la naturaleza, en el cual utiliza la sinestesia («con dulzura de triste sabor»), una técnica modernista:

> Un atardecer que él creyó no llegaría nunca, sintió de nuevo sobre su corazón, con dulzura de triste sabor, el paisaje de su pueblo: el río roncando como viejo asmático, los montes verdes, las cañas anaranjadas, en las cunetas los indios, sobre las tapias los pencos.
> En la plaza del pueblo, para él, ahora más desierta que de ordinario, el murmullo del agua daba su eterna bienvenida. (págs. 120-121).

Sin embargo, el regreso de Serafín no es celebrado por los otros cholos. Su intento de identificarse con la aristocracia blanca —seguido por su fracaso consecuente— es visto con odio y rencor por los que conocen sus propias limitaciones raciales y que las aceptan resignadamente. Eso es tan cierto que algunos miembros de la comunidad chola reaccionan con un sentir sádico frente al fracasado, ya que ellos no han traicionado lo que son. Según ellos, Serafín ha pecado de presuntuoso («Nu'es bueno ser soberbio... Dios castiga... Uno tiene siempre que conocerse», pág. 122).

La vida halagadora y fácil de la aristocracia blanca que Serafín ha gozado se le presenta como obstáculo para aceptar de nuevo aquélla repugnante y grotesca, de la cual ha intentado huir. Lo mismo que en el pasado, nuestro protagonista busca en el placer sexual una panacea para su trauma, haciendo víctima esta vez a Matilde, una chola hermosa.[14] Al intensificarse el apasionamiento físico que nuestro Serafín siente hacia la chola, cambiándose de una busca escapista a una relación más estable y romántica, mama Julia se siente mortificada, ya que se da cuenta que la aventura amorosa de su hijo no terminará en el matrimonio del muchacho con una muchacha blanca, como ella ha deseado. Resuelta a no dejar escapar su sueño, mama Julia vende su propiedad y usa ese usufructo para montar una tienda para Serafín en un aserradero, cerca de la hacienda del latifundista, don Manuel Clavijo. Una vez más, vemos a nuestro Icaza como crítico social, al hacer patente los males de la explotación humana, consumados por la colusión del hacendado y del gringo sin escrúpulos. De interés es-

pecial es el conocimiento profundo de Icaza con respecto a la psicología de la clase chola. En el diálogo animado de los cholos que
protestan los manejos de don Manuel para reclamar derechos exclusi-
vos a los bosques que rodean su propiedad, Icaza reafirma que, aunque
el cholo como individuo se comporta apáticamente frente a los abusos
que se le imponen, como miembro de una colectividad es muy capaz
de defender a su comunidad racial, al ser ésta amenazada:

> —Don Clavijo no quiere que vayan los del pueblo a sacar madera.
> —Acaso el monte es de'l. Eso ca de todos es.
> —Él podrá mandar en la'cienda.
> —En los indios.
> —Pero en la selva que's de todos, ¿cómo pes?
> —Entonces porque nu'ablan con nosotros tan, que somos los que'mos
> trabajado el bosque todo un siempre.
> —El ca sólo la'cienda con un pite árboles no más.
> —Eso también aura último que dice ha denunciado.
> —Lo demás ca, todo del pueblo, de nuestros taitas y de nuestros
> hijos.
> —Dende que abrimos los ojos...
> —Dende que supimos lo que'ra trabajo.
> —Nu'emos de consentir. (pág. 145).

Acudiendo a la ironía bien ilustrada, Icaza nos muestra el segundo
intento de Serafín para disociarse de su medio original y sus hermanos
cholos. Cuando su esposa Matilde llega agotada por el esfuerzo de un
viaje y comparece ante Serafín, éste la recibe con vergüenza, debido
a su vestir cholo: «—Quitate ese pañolón vé... Dejá la maleta...
Parecís chola... Se me cae la cara de vergüenza...» (pág. 160). En
otra ocasión, él vuelve a castigarla por no vestirse con más cuidado:
«—Lavaraste la cara... No tendrás, pes, unas cintitas buenas para las
trenzas, que no ti'arreglais bien bonita... Parecís chola con esos trapos
en la cabeza... Nu'abrá pes otro trajecito, ese ca demás ajustado está
como morcisha» (pág. 169).

En cuanto Matilde tiene un hijo y éste nace con los atributos
raciales característicos de los cholos, Serafín reniega de él. Este episodio nos permite ver a nuestro novelista analizando, en forma maestra, el mundo psicológico del cual son víctimas los cholos. Los preté-
ritos deseos de mama Julia se encarnan esta vez en Serafín, ya que
él desea un «angelote sonrosado y rubio». Pero las leyes genéticas no

obedecen a deseos humanos, y nuestro protagonista acepta el suceso como uno desgraciado. Para él, el nacer cholo implica el asumir una especie de pecado original, una especie de maldición de clase social, ya que se recibe al nacer y se hace más penosa con el paso del tiempo:[15] «Sentado en el banco del corredor, con conciencia de hombre defraudado, deseó de corazón que la tempestad que arreciaba por instantes, termine con todo el paisaje. Por haber nacido como indio, como cholo, no podrá reír con el altanero dominio de los amos, no podrá responder a sus preguntas, no podrá ser dueño de tierras y hombres. "Preferible que se muera", murmuró el padre» (págs. 182-183). Sin embargo, cuando más tarde Matilde tiene un segundo hijo —esta vez producto de una relación ilícita con el gringo Míster Lary— Serafín se ve frustrado nuevamente. Esta vez el problema reside en la poca solvencia económica de Serafín para poder darle a su segundo «hijo» —«un hijo blanco... un ángel... un niñito decente»— el envión y prestancia económica necesaria para saltar las barreras sociales. Con esto, hemos llegado a un ciclo completo, pero con signo opuesto: Serafín tuvo los medios económicos, pero no los atributos raciales; su «hijo» tiene éstos, pero no los primeros.

La muerte de Matilde, causada por las imponentes demandas de su marido de dar pecho constantemente a su «hijo» —especialmente cuando la piel de éste empieza a oscurecerse un poco— sirve para ofrecernos la conversión simbólica de Serafín. Ésta tiene lugar al final de la novela, ya que es allí en donde él reconoce, con orgullo, su propia clase racial. Este renacimiento de Serafín hace de *Media vida deslumbrados* una historia de conversión espiritual, ya que en él el lazo irrompible de la sangre que une al protagonista y a sus camaradas cholos se reconoce de pronto, esta vez para siempre. Esa será la solución de Serafín Oquendo y la que acepta Icaza por única, ya que, si el cholo espera ser aceptado por lo que es, debe empezar por aceptarse a sí mismo; y, al hacerlo, aceptará la clase racial a la que pertenece.

* * *

La obra literaria más reciente de Jorge Icaza, *El chulla Romero y Flores* (1958), concluye la trilogía novelística que se ha centrado en la problemática psicológica del cholo, víctima de la inestabilidad social del Ecuador contemporáneo. Es a través de su protagonista —un insignificante empleado civil que intenta, con su limitado poder, cambiar la estructura social ecuatoriana— que Icaza expone la intensa hostilidad de parte de la clase privilegiada hacia el cholo impertinente que trata de mejorar su statu quo. Un somero análisis de la temática de la obra nos puede ayudar para aclarar los objetivos que el novelista persigue al exponer, abiertamente, el mundo en el cual el mestizo vive.

Don Ernesto Morejón Galindo, un frustrado politicastro que dirige la Oficina de Investigación Económica, decide, en virtud de su burocrático y elevado puesto gubernamental, vengarse personal y políticamente, por poner fin a los interminables abusos fiscales de la aristocracia. Con arrogancia dictatorial, don Ernesto instruye a su empleado subalterno, el chulla Luis Alfonso Romero y Flores, que haga desaparecer la corrupción y malversación que existen en gran escala. En su nueva posición de «juez incorruptible», el subordinado cholo, jubilante ante la oportunidad que se le presenta de asociarse con «los de arriba», decide comenzar su regeneración nada menos que con el inmoral y lascivo Candidato Presidencial, don Ramiro Paredes y Nieto.[16] La investigación que Romero y Flores hace sobre los deberes oficiales del Candidato hace reaccionar al «ayudante general» de éste, diciendo que su superior tiene una personalidad sagrada que lo hace inmune a la crítica de un oficial de rango inferior. De este modo, se le recuerda a Luis Alfonso que no debe meter sus narices en los asuntos «privados» de un personaje tan prominente como don Ramiro, y que, al intentar hacerlo, eso constituiría un acto de verdadera herejía. A través de las características personales del descolorido «ayudante general», Icaza ha logrado representar lo que se considera un estereotipo de ese grupo que existe en la sociedad ecuatoriana, el cual tiene como máxima característica el ser desconfiado y sospechoso de cualquier cholo ambicioso que intente destacarse desenmascarando los tejemanejes existentes:

¿Qué le pasa a éste? Parece que alguien le empuja... Alguien poderoso... Arzobispo... General... Ministro... Hoy está abajo... Mañana puede estar arriba... Estos chullas prosudos son una friega... A lo mejor pescan a río revuelto una alta posición administrativa o una mujer con plata... (págs. 19-20).

El misterioso Candidato a la Presidencia —«indio lavado, medio blanquito»— es presentado al lector como una persona lujuriosa y libertina («Es un chivo para las hembras»). A pesar que éste no aparece directamente en la novela, su carácter moral se destaca como el símbolo máximo de una sociedad inmersa en un letargo moral. Oportunista políticamente y carente de integridad, don Ramiro sería un candidato ideal para aquella región tenebrosa situada en la entrada del infierno dantesco —la región de aquellas almas que fueron desleales en vida y que, ahora, vagan incesantemente por el infierno, cambiando de banderas:

> Su influencia política fue creciendo de acuerdo al cinismo para barajarse en los diversos partidos. Hizo amistades y descubrió parientes en la oligarquía conservadora. Cotizó como simpatizante en un grupo de izquierda. En las altas esferas burocráticas, a donde le fue fácil entrar dada su categoría de esposo de un apellido ilustre, se declaró liberal. (pág. 30).

A pesar de ser consciente de varias inconsistencias y faltas en los archivos económicos de don Ramiro, Romero y Flores toma la oportunidad para lograr el apoyo del Candidato, culpando la situación vergonzosa en los hombros del «ayudante general». Es esta característica egoísta y venal la que podemos ver en el cholo cuando, al conversar con doña Francisca, la dominante esposa de don Ramiro, nuestro «juez incorruptible», ya hecho corruptible, se declara defensor del Candidato. Pero esta determinación no dura mucho tiempo; al invitar doña Francisca a nuestro reformador a una tertulia para que conozca a la flor y nata de la alta sociedad, el chulla se queda mortificado e indefenso, al escuchar las despiadadas referencias que ella hace del padre de Luis Alfonso, llamado «Majestad y Pobreza»,[17] —un borracho perezoso que también había cometido el pecado de un «concubinato público con una chola, con una india del servicio doméstico».[18] Imposibilitado para olvidar su pasado racial que lo atormenta constantemente en el presente, y, no pudiendo responder a los crueles insultos que se le dirigen, el chulla huye desesperadamente y medita sobre su inhabilidad de protestar contra las crueldades de parte de doña Francisca y sus invitados aristocráticos. Las sombras espirituales de su madre, mama Domitila —símbolo de lo indio ancestral («lo rencoroso, lo turbio, lo sentimental, lo fatalista, lo quieto, lo humilde»)— se unen a las de su padre español, representante del español de la Conquista («lo altivo, lo aventurero, lo inteligente, lo pomposo, lo fanático, lo cruel») para reprenderlo en forma de voz de su conciencia:

«¡Por tu madre! ¡Ella es la causa de tu viscoso acholamiento de siempre!... De tu mirar estúpido... De tus labios temblorosos cuando gentes como yo hurgan en tu pasado... De tus manos de gañán... De tus pómulos salientes... De tu culo verde... No podrás nunca ser un caballero», fue la respuesta de Majestad y Pobreza.

«Porque viste en ellos la furia y la mala entraña de taita Miguel. De taita Miguel cuando me hacía llorar como si fuera perro manavali... Porque vos también, pájaro tierno, ratoncito perseguido, me desprecias... Mi guagua lindo con algo de diablo blanco...», surgió el grito sordo de mama Domitila. (págs. 41-42).

Es a través de estas descripciones realistas que Icaza se vale para exponer, brillantemente, la psicología de dos grupos raciales —blancos e indios— encarnados ambos en el aparato físico-mental del cholo. Desde este punto de vista es que podemos comprender los conflictos que acosan incesantemente al chulla Romero y Flores, ya que su ser es el producto de «dos razas inconformes». En este personaje vemos debatirse todas las taras mentales, quedándole únicamente el camino para poder vengarse el desenmascarar los fraudes fiscales del inescrupuloso Candidato Presidencial.

Toda esta problemática tiene lugar en el primer capítulo de *El chulla Romero y Flores*. Los restantes seis capítulos giran en torno a una visión calidoscópica del mundo cholo del protagonista y de la odisea de Luis Alfonso, por la que incurre en búsqueda de la verdad y la justicia. Sería gran injusticia decir que el resto de la novela no trata más que la acción que resulta del problema presentado en el primer capítulo largo: queda por analizar, por ejemplo, el papel que desempeñan las mujeres en la novela, y, más importante que todo, los efectos psicológicos del chulla, al tratar de hallar un compromiso entre la actitud orgullosa de su padre y la resignación pasiva de su madre. Aún más, todo juicio crítico de la obra sería incompleto sin discutir el intenso interés de Luis Alfonso (y de Icaza) por su porvenir, así como la consiguiente satisfacción del chulla de su ansia de *querer ser,* de definirse a sí mismo.

A pesar de que las mujeres no llenan una función importante en la novelística de Jorge Icaza, su caracterización en las obras estudiadas en la presente monografía contribuye al presentar apoyo a los protagonistas masculinos y al permitir, con su intervención, que la trama evolucione. En nuestra novela, Icaza emplea eficazmente la técnica del «flashback», al presentarle al lector la singular atracción amorosa que Luis Alfonso ha tenido en su vida. Nuestro chulla se ha enamorado de una atractiva y hermosa chola, Rosario Santacruz, separada de su marido después de una breve e infeliz relación conyugal. Al tratar ella de olvidar la pesadilla de su violación animal en su luna de miel —dejando a su marido para volver a vivir con su madre— se encuentra con Luis Alfonso en una fiesta que dura toda la noche en casa de un vecino cholo. Poseída por remordimientos de conciencia por haber bailado, muy íntimamente, con el chulla, y atormentada por el qué dirán de las viejas en la fiesta («Me creen una corrompida... Corrompida...»), Rosario huye hacia la cocina, perseguida por Luis Alfonso. A pesar de oír la voz de su padre —en su conciencia—, que le recomienda que obre con extremo cuidado y que preserve su dignidad social («"¡Cuidado! Es una hembra sin dote. Es una de tantas chullitas que... Tu porvenir... Tu porvenir de gran señor..."»), nuestro cholo se cierra los oídos a su progenitor para encontrar, inesperadamente, que la chola le rechaza en un cuarto del tercer piso. En medio de esta escena romántica, Icaza describe, una vez más, la intensa relación que existe entre sus personajes y el medio que les rodea. Para ello recrea, momentáneamente, los sonidos y olores que vienen de la cercana ciudad que despierta entre el claroscuro del nuevo día:

Mezcla chola —como sus habitantes— de cúpulas y tejas, de humo de fábrica y viento de páramo, de olor a huasipungo y misa de alba, de arquitectura de choza y campanario, de grito de arriero y alarido de ferrocarril, de bisbiseo de beatas y carajos de latifundista, de chaquiñanes lodosos y veredas con cemento, de callejuelas antiguas —donde las piedras, las rejas, las espadañas coloniales han detenido el tiempo en plena aldea— y plazas y avenidas de amplitud y asfalto ciudadano. (pág. 59).

La inclinación oportunista que frecuentemente caracteriza al cholo en la novelística de Icaza se halla presente en Luis Alfonso, al ser informado por Rosario de su condición marital. Ante la perspectiva de un concubinato sin complicaciones y sin responsabilidades —financieras o familiares—, nuestro cholo se halla placenteramente atraído hacia Rosario: «—¿Casada? —dijo el chulla con voz que delataba su alegría: "Ningún peligro para mi porvenir... Ninguna responsabilidad... Ningún gasto... Unos meses, unos días, unas horas..."» (página 60). La obsesión de *querer ser* domina a Luis Alfonso y a Rosario —ella quiere despojarse, para siempre, del epíteto «corrompida» que le había dado su marido, para poder tener, nuevamente, el orgullo personal que había perdido en su corto y desgraciado matrimonio— hasta tal punto que Icaza describe la tragedia psicológica que invade a ambos al ir a un baile de la Embajada. Después de arrendar un traje de lord inglés y un automóvil, Luis Alfonso («Soy un lord inglés»), acompañado por su «princesa» («Princesa... Debo ser una princesa... Soy una princesa»), llega al baile y entra a la farsa social. En este cuento de hadas compuesto de maniquíes que pueden moverse y hablar, en esta mascarada vital, erran los que se escapan de la realidad. De este modo, nuestro protagonista desoye la voz de Majestad y Pobreza, diciéndole que abandone su innato complejo de inferioridad —heredado de su madre india— y que, en cambio, tome parte en la burla social, ya que participa en ella todo el mundo:

> «¡Adelante muchacho! ¿Qué es eso? Estás en el secreto de la trampa. Todos juegan a lo mismo... ¿Qué es un lord inglés ante un Romero y Flores? Nada, carajo... ¡Sí! Nadie se atreverá a despertar a mama Domitila. Le tengo acogotada, presa, hecha un ovillo con trapos de lujo. ¡No existe!» (pág. 77).

Los personajes que toman parte en esta mascarada de la humanidad no logran permanecer, desgraciadamente, en sus representaciones surrealistas. Forzados por los efectos del alcohol, ven que sus máscaras se diluyen como pompas de jabón para dar paso, en cada disfrazado, al regreso a las características físicas de las que tratan de huir. He aquí el mensaje moral de Icaza: cada personaje debe vivir auténticamente su vida. De no hacerlo, se verá obligado a sobrellevar el tipo de tragedia de la cual fue víctima Serafín Oquendo en *Media vida deslumbrados*. Todo cambio que incluya la prostitución de la verdadera personalidad estará encaminado al fracaso:

Poco a poco se ajaron los vestidos —en lo que ellos tenían de disfraz y copia—. Poco a poco se desprendieron, se desvirtuaron —broma del maldito licor—. Por los pliegues de los tules, de las sedas, de los encajes, del paño inglés, en inoportunidad de voces y giros olor a mondonguería, en estridencia de carcajadas, en tropicalismo de chistes y caricias libidinosas, surgió el fondo real de aquellas gentes chifladas de nobleza, mostró las narices, los hocicos, las orejas —chagras con plata, cholos medio blanquitos, indios amayorados—. (pág. 80).

La persistente preocupación de Luis Alfonso —y de su padre Majestad y Pobreza— con el soñado porvenir del joven está estrechamente relacionado con el amor de Rosario hacia nuestro chulla. Entre ellos se establece un renacimiento espiritual —especialmente en el caso de ella, porque, por primera vez, se siente en completa armonía con el mundo que la rodea:

> Una especie de compasión superior, nueva en ella, le inyectó de pronto alegría extraña, egoísta: ganas de cantar, de correr por un prado florido, de hundir los pies en el remanso cristalino de un río, de esconderse en un árbol, de besar a un niño. (pág. 87).

Por otra parte, a pesar de que Luis Alfonso se siente atraído hacia los encantos de ella, el chulla está más consciente que nunca del peligro que un concubinato le pueda traer. Al revelarle ella su ferviente amor y pedirle que la lleve a la casa de él, Luis Alfonso reflexiona seriamente sobre los posibles peligros que puedan detenerle en sus sueños de obtener los bienes socio-económicos que persigue: «"La misma exigencia. Cuidaré mi porvenir. Mi brillante porvenir. Quiero ser un hombre. Un caballero gamonal"» (pág. 90). Nuestro protagonista no está solo frente a sus meditaciones, ya que el fantasma de Majestad y Pobreza le advierte del peligro de acceder a la tentación de Rosario: «"Domina tu pasión chola en cualquier forma... ¡El porvenir!"» (pág. 92). En estos momentos de indecisión, nuestro Luis Alfonso oye la voz de su madre india, mama Domitila. Ella es la fuente psicológica que le anima con sentimientos de caridad y compasión y, al mismo tiempo, comparte —en la subsconsciencia del chulla— los sufrimientos y emociones encarnados en la persona de Rosario: «En contrapunto doloroso —eterno desequilibrio que le amargaba la vida— la presencia de mama Domitila alcanzó a murmurar: "Pobrecita... Pobrecita..."» (pág. 92). Poco tiempo después de vivir en situación adúltera, al enterarse Luis Alfonso de que Rosario está embarazada, él se convierte en víctima de un delirio —típica expresión de un desequilibrio mental—, ya que dicha situación dará al traste con sus planes. Al reflexionar el chulla sobre el hecho de que él mismo debe su existir —un existir ilegítimo— a la persistencia con que su madre india se opuso a los deseos de Majestad y Pobreza de abortar, oye, una vez más, la voz compasiva de mama Domitila que, en forma de símbolo de piedad y comprensión humana, protesta sus crueles pensamientos sobre un posible aborto:

> Molesto y conmovido a la vez por el llanto y por la actitud de la mujer, el chulla se dijo... «Yo también nací gracias al coraje de... A la tímida pero testaruda presencia india frente al orgullo tragicómico de Majestad y Pobreza... Yo existo porque ellos...» Y con acento de amorosa intriga, la sombra de mama Domitila concluyó: «Sin compasión de shungo, taita blanco quiso sepultarte donde los huérfanos». (págs. 127-128).

Impelido emocionalmente por las palabras de su madre, Luis Alfonso se calma y se siente invadido por sentimientos de ardiente ternura y paternal responsabilidad.

Aproximadamente a mediados de la novela, una vez que el lector ha sido recordado del tema inicial —el papel de Luis Alfonso como «juez incorruptible» en una sociedad corrupta—, el lector siente la creciente influencia de mama Domitila sobre nuestro protagonista. Traicionado por un agente oportunista de la Oficina de Investigación Económica, quien, enviado aparentemente para evaluar los hallazgos inescrupulosos descubiertos por Luis Alfonso, saca a luz aquéllos relacionados con el Candidato Presidencial, haciéndolos publicar en la prensa del candidato de la oposición, nuestro chulla es «recompensado» por su veracidad por ser humillado y arrojado de su trabajo. Al sentirse presa de la desesperación y de la desilusión que le sobrevienen en su lucha contra un orden social injusto e intolerable, Luis Alfonso reacciona ofuscado ante tal concepto de la justicia. En ese momento, mama Domitila —haciéndose eco del novelista— le imparte al chulla un sentido de esterilidad espiritual, al contemplar cuatro siglos de maltrato y explotación continua de parte de «los de arriba» hacia el pobre indio ecuatoriano:

¿Qué hacer entonces? ¿Declararse culpable? ¿De qué? ¿De haber denunciado el cinismo de la ratería de un mundo poblado de rateros? Movió la cabeza con violencia. Despertaron sus fantasmas. «Guagua... Guagüitico no les hagas caso. Así mismo son. Todo para ellos. El aire, el sol, la tierra, Taita Dios. Si alguien se atreve a reclamar algo para mantener la vida con mediana dignidad le aplastan como a un piojo. Corre no más. Huye lejos...», suplicó la sombra de la madre. (pág. 170).

El mensaje ideológico de Icaza en las últimas páginas de *El chulla Romero y Flores* y el de *Media vida deslumbrados* es idéntico. La épica huida del chulla de la policía, por haber pasado un cheque sin fondos con el fin de poder sufragar el costo del parto de su mujer —unida a su esfuerzo por luchar valientemente contra el orden falso de la sociedad al denunciar la corrupción, y la muerte de Rosario, debido a la hemorragia durante el parto— sirven para hacer que el chulla reevalúe su concepto vital. Ocurre todo esto al mismo tiempo que el cholerío le ayuda a evadir la policía. Entre los suyos de nuevo, nuestro chulla acepta, por primera vez, la existencia de un lazo étnico y cultural que aúna la clase chola. Es allí, en ese final viaje de Rosario hacia el camposanto, que Luis Alfonso rechaza, esta vez para siempre, el tipo de vida que antes ambicionaba y, en cambio, se siente lleno de esperanza frente a un futuro que empieza allí:

Luis Alfonso notó que los vecinos le acompañaban, le entendían —hombres resignados, mujeres tristes—, con la misma generosidad que le ayudaron la noche que tuvo que huir barajándose entre las tinieblas. Tragándose las lágrimas pensó: «He sido un tonto, un cobarde. ¡Sí! Les desprecié, me repugnaban, me sentía en ellos como una maldición. Hoy me siento de ellos como una esperanza, como algo propio que vuelve». (pág. 280).

La función primordial del chulla Romero y Flores —la de exponer el fraude fiscal, la corrupción y la hipocresía de la alta sociedad ecuatoriana, y, al mismo tiempo, de ambicionar satisfacer su vehemente aspiración hacia su reconocimiento personal [19]— debe recordarle al estudioso de la literatura hispanoamericana aquélla expuesta en *La gloria de don Ramiro,* de Enrique Larreta. En la novela argentina, el protagonista también se empeña por destacarse socialmente. El sueño de don Ramiro consiste en recrear en sí mismo el ideal hombre renacentista —hombre de armas y de letras—, el prototipo del cual encontramos en *El cortesano* del italiano Baltasar Castiglione, y en esperar, como resultado final, el ansiado reconocimiento de parte de Felipe II, como pago al desenmascarar las prácticas clandestinas y heréticas comunes entre los moriscos de España. Esta aludida recompensa se halla también en el sueño del chulla Romero y Flores de obtener prominencia social dentro de una sociedad que no acepta su propia existencia. Este paralelo se puede extender aún más. Ambos adolescentes son productos ilegítimos de combinaciones raciales, circunstancia que les impide lograr el reconocimiento de sus seres en todo intento social. Ramiro, agente de la vigilante Inquisición, es la prole de la aristocrática doña Guiomar —descendiente de alto linaje—, e, irónicamente, de un padre morisco. Su ferviente, aunque falso, orgullo de su linaje (no se entera el joven de su realidad racial ni del estigma que ella implica hasta las últimas páginas de la novela) le sirve de constante consuelo: «¿Qué linaje en Castilla más claro y antiguo que el suyo? Su sangre era limpia como el diamante.»[20] Sin embargo, se ve poseído de inmenso desaliento y desilusión cuando, al estar a punto de matar a un hombre viejo quien ha escupido irreverentemente a un crucifijo que don Ramiro sostiene en la mano, el anciano exclama:

—¡Ah! ¡Ramiro, Ramiro, sólo falta que acuchilles al hombre que te engendró!

. . . .

Sí, yo te engendré en la altiva doña Guiomar... y tu agüelo prefirió casalla en seguida con el viejo don Lope, en odio a mi raza y a mi creencia.[21]

En esta novela de Icaza, el protagonista Luis Alfonso resulta ser el fruto ilícito de los amores del aristócrata español, don Miguel Romero y Flores, con la doméstica, la india Domitila. Cuando el hijo se entera de las aventuras amorosas, del alcoholismo y, finalmente, del ostracismo social que hacen presa de su padre, el chulla, a pesar de sentirse profundamente humillado por el decir de las lenguas venenosas reunidas en la fiesta de la élite de la ciudad, rehusa aceptar lo que se dice y se mantiene leal a la memoria de su padre. Para él, su padre representa un tipo de *homo universalis:* «"Un caballero de la aventura, de la conquista, de la encomienda, de la nobleza, del orgullo, de la cruz, de la espada, de...", se dijo el chulla en impulso de súplica para esconder el rubor de su desamparo —fruto de amor ilegal, mezcla con sangre india» (pág. 38). El concepto de la pureza de sangre que está presente en ambos protagonistas no limita el parecido entre ellos en otras esferas vitales. Ese sólo es un aspecto. Por ejemplo, el concepto de nobleza les es tan común como la idea de abolengo (temas frecuentes en la comedia del Siglo de Oro).[22] En la segunda parte de *La gloria de don Ramiro,* centrada en el tema de la decadencia y anarquía interna del período que sigue al desastre de la Armada Invencible, volvemos al tema del falso orgullo familiar por parte del protagonista. Venido a menos como el famoso hidalgo del *Lazarillo de Tormes* —prototipo del decadente aristócrata del siglo XVI—, don Ramiro prefiere, con gran orgullo, padecer del hambre, antes de vender los «sagrados» retratos de sus antepasados. Ante la oferta de compra de los prestamistas genoveses, el joven reacciona con gran indignación.[23] En *El chulla Romero y Flores,* podemos ver otro tanto. La única diferencia entre ambas obras radica en el tono y en el período histórico. Mientras que Larreta nos presenta el tema del orgullo familiar de una manera bastante seria, por estar interesado en recrear fielmente el ambiente de España en el siglo XVI, Icaza nos presenta el mismo tema con relación a la sociedad ecuatoriana del siglo XX en un tono satírico y humoroso. Cuando doña Encarnación reprocha al chulla, su inquilino, por retrasarse en el pago de la renta, nuestro protagonista se ve obligado a salir de la situación embarazosa por medio de su ingenio, lo mismo que el pícaro español tradicional. Conocedor de la debilidad que tiene doña Encarnación hacia objetos que reflejan una asociación con la aristocracia, Luis Alfonso, con bellaquería picaresca, explota esa debilidad al hablarle de un cuadro y un escudo de armas pertenecientes, en otros tiempos, a la noble familia de su padre —«objetos de nobleza» a los cuáles él dice estar atado para siempre (pág. 101). Cuando, finalmente, rinde el chulla dichos vestigios de nobleza a doña Encarnación, la voz de su padre le reprende por su infame acto: «Era la voz de Majestad y Pobreza, larga y persistente como la de una pesadilla: "Cobarde... No sabes lo que has hecho... Has vendido tu nombre..."» (pág. 103). Este resentimiento, repetido varias veces en el alma del chulla, halla un poco de calma al recuperar Luis Alfonso dichas reliquias antes de abandonar la propiedad de doña Encarnación para siempre.

La novela *El chulla Romero y Flores* de Icaza también nos recuerda otro testimonio literario de la literatura hispanoamericana —la inimitable obra que ha idealizado al gaucho y a la vida de la pampa argentina, *Don Segundo Sombra*. Del mismo modo que la sombra omnipresente de Don Segundo, símbolo de la hombría e individualidad del gaucho, se extiende sobre la pampa para llenar de inspiración al joven Fabio Cáceres, así también la combinación anímica de las sombras que constantemente acompañan al chulla ejerce una influencia profunda sobre su desarrollo psicológico. La presencia espiritual de los padres de Luis Alfonso ocasiona los diálogos frecuentes que obsesionan al chulla y, finalmente, le sirven de guía para entender mejor su propia vida.[24]

Para terminar, permítasenos correlacionar *El chulla Romero y Flores* con otro *don*, de la inmortal novela de Cervantes, *Don Quijote de la Mancha*. Ambos protagonistas se ven sumergidos en idénticos problemas, dado su idealismo. Justamente, por serlo, se ven envueltos en aventuras que buscan verdades universales en un mundo que marcha discorde con la verdad. Lo mismo que el héroe de Cervantes, que montado a su caballo Rocinante sale para atacar a los molinos de viento que él llama gigantes, el héroe de Icaza ataca en su batalla singular la corrupción y falta de sinceridad que coexisten en la sociedad ecuatoriana del siglo xx. Así como Don Quijote promete ayudar al necesitado, socorrer a damas desconsoladas, y reconstruir todo el orbe nuevamente, sin poder conseguirlo nunca, así también fracasa Luis Alfonso al intentar remediar agravios, enmendar errores, y enderezar entuertos, para reestablecer nuevamente la verdad y la justicia en su país.[25] Para ambos personajes valientes, la derrota es inevitable, ya que sus mundos respectivos no están preparados para el Siglo de Oro del Hombre, siglo enmarcado en la honestidad.[26]

NOTAS

[1] Ejemplo sobresaliente de la representación romántica del mestizo —figura trágica debido a su doble naturaleza étnica— es el famoso poema *Tabaré* (1886), del poeta uruguayo Juan Zorrilla de San Martín.

[2] Claude Couffon, *"Cholos", Letras del Ecuador* (octubre, 1959), pág. 18.

[3] Francisco Ferrándiz Alborz, *El novelista hispanoamericano Jorge Icaza* (Quito: Editora Quito, 1961), pág. 66.

[4] J. Eugenio Garro, *Jorge Icaza: Vida y obra* (Nueva York: Hispanic Institute, 1947), pág. 18.

⁵ Véase José Vasconcelos, *La raza cósmica* (1925) e *Indología* (1926). Esta última obra representa una amplificación de las ideas básicas ya presentes en la primera.

⁶ Jorge Icaza, *Cholos* (Quito: Editora Romero, 1939), pág. 253. Es ésta la edición cuyas páginas siempre citamos entre paréntesis en el texto.

⁷ Aquí, el hidalgo, despojado de todos sus recursos de antaño, intenta, por medio de las apariencias, seguir viviendo en el glorioso pasado. Aunque está muriéndose de hambre, tiene demasiado orgullo para entregarse a un trabajo manual que le asegure su subsistencia. Al contrario, él prefiere compartir clandestinamente con Lázaro, su "escudero", los pocos víveres obtenidos por el pordiosear del pícaro. El *pathos* que caracteriza la existencia del hidalgo venido a menos se refleja en la siguiente observación filosófica de Lázaro: "¡Oh, Señor, y cuántos de aquéstos debéis Vos tener por el mundo derramados, que padecen por la negra que llaman honra lo que por Vos no sufrirían!"

⁸ Esta conducta animal en las relaciones conyugales es típica del cornudo indio, quien, en las novelas de Icaza, convierte en un salvaje impulso sexual su ira causada por el concubinato forzado de su esposa en la casa del latifundista. Véase, por ejemplo, el "ataque" primitivo del indio Andrés Chiliquinga sobre su amada Cunshi en *Huasipungo*.

⁹ En realidad, hay dos recursos de ficción que se utilizan aquí: 1) la técnica cinematográfica, caracterizada por presentar unas escenas retrospectivas que relatan acontecimientos pasados, y 2) la técnica novelesca de encontrar "por casualidad" unos documentos que resultan ser esenciales para la narración. Esta última aparece en dos obras maestras de la literatura española peninsular. En *Don Quijote*, Parte Primera, Cervantes "tropieza" con un cuaderno viejo en un mercado en Toledo, el cual contiene la continuación de la "historia" de Don Quijote en la lengua arábiga. La novela epistolar de Juan Valera en el siglo XIX —*Pepita Jiménez*— se nos presenta en forma de una serie de cartas escritas entre el joven seminarista, José de Vargas, y su tío, el Deán de la Catedral de Sevilla. Al morir el Deán, estas epístolas "fortuitamente" llegan a las manos del novelista.

¹⁰ Jorge Icaza, *Media vida deslumbrados* (Quito: Editorial Quito, 1942), págs. 11-12. Todas las citas que se hagan en lo sucesivo se referirán a esta edición.

¹¹ Como ya hemos visto en el presente estudio, el "señor cura" no es ningún modelo de virtud en las novelas de Icaza. Aquí se le imputan a él, debido a su exaltada virilidad, muchos de los hijos ilegítimos de la vecindad. "En la vida del Santo Varón la calumnia pueblerina hizo presa de su honestidad, achacándole los hijos sin padre de todo el vecindario. «Cara cortadita a taita cura ha salido el huambra de la fulana... Ni negas pes, medio blanquito eso...», murmuraron las comadres embozando el falso testimonio bajo el pañolón." (pág. 18).

¹² Esta altanería por parte de los cholos hacia Antonio refleja muy bien el caso del rechazamiento racial que le impone a una persona dentro de su propia clase social, por su desconformidad a ciertas normas culturales rígidamente establecidas. Según Allan R. Holmberg, en su ensayo, "Changing Community Attitudes and Values in Peru: A Case Study in Guided Change", *Social Change in Latin America Today*, ed. Philip E. Mosely (Nueva York: Alfred A. Knopf, 1960), pág. 68, este fenómeno no se limita solamente al Ecuador, sino que también es muy común en otros países hispanoamericanos con poblaciones principalmente indígenas, como México, Bolivia y Perú: "In Peru today, as in other «Indian» countries of Latin America, the assignment of an individual to the subordinate group is not determined primarily on the basis of physical characteristics such as skin color, as in the case of the Negro in the United States. It rests largely on a configuration of cultural characteristics, among which language, dress, and manners are most important."

¹³ El cholo que intenta vivir fuera de su clase social llega a ser aborrecido por la clase alta —los blancos, quienes guardan celosamente su posición de prominencia—, por la clase baja —los indios, quienes consideran esto un acto de repudiación hacia ellos—, y, por los cholos mismos, quienes envidian mucho la nueva superioridad de uno de los suyos.

¹⁴ Como ya se ha visto en varias ocasiones, el tema sexual aparece a menudo en las novelas de Icaza. Aparte de los concubinatos de los clérigos y de los terratenientes, este impulso básico, tanto de los indios como de los cholos, es presentado por nuestro novelista como una expresión del sexo desmedido, animal y perverso, lo cual parece ser el resultado de la frustración y el desencanto con la vida.

¹⁵ Esta actitud pesimista hacia el nacimiento, la cual es expresada por Serafín, nos hace pensar en *La vida es sueño*, el célebre drama teológico-filosófico de Pedro Calderón de

95

la Barca, el cual refleja el conflicto entre el libre albedrío y la predestinación. Las afirmaciones de Serafín nos recuerdan especialmente el famoso soliloquio del protagonista, Segismundo, acerca del poco valor de la existencia humana:

> Aunque si nací, ya entiendo
> qué delito he cometido:
> bastante causa ha tenido
> vuestra justicia y rigor,
> pues el delito mayor
> del hombre, es haber nacido. (Acto I, escena II)

[16] César Ricardo Descalzi, en su crítica de la obra más reciente de Icaza, *"El chulla Romero y Flores*, última novela de Jorge Icaza", en la sección literaria de *El Comercial* (Quito, 3 de agosto de 1958, pág. 21), comenta la necesidad, por parte del *chulla* oportunista, de establecer unas relaciones amistosas con los blancos aristócratas, si él tiene esperanzas algún día de ascender en la escala social: "El «chulla»... inclina su frente ante el poderoso... porque sabe que de él depende. Mendiga su amistad, porque esa amistad le hace un «personaje» de valía, entre los hombres ante los cuales presume, entre las gentes que conocen su íntima pobreza y su mínimo origen." La observación de Descalzi se verifica en la novela en el siguiente monólogo interior de Luis Alfonso, al acercarse a la oficina de don Ramiro: "Mi importancia... Mi honradez... Me llevarán muy lejos... Amigo y protector de un candidato a la Presidencia de la República... A la Presidencia... Ji... Ji... Ji..." [Jorge Icaza, *El chulla Romero y Flores* (2.ª ed.; Quito: Editorial Rumiñahui, 1959), página 18. Todas las citas que se hagan en lo sucesivo se referirán a esta edición.] Sin embargo, más tarde en la novela, la inhabilidad de Romero y Flores de aceptar pasivamente la corrupción y la depravación practicadas por el Candidato a la Presidencia, y la rebelión consiguiente del *chulla* contra las mentiras de este político malvado, la cual resulta en el sacrificio del porvenir del *chulla,* caracteriza a este último como excepción a la teoría general de Descalzi.

[17] Según doña Francisca, el apodo del padre de Luis Alfonso —"Majestad y Pobreza"— se utilizaba tradicionalmente con sentido derogatorio durante el Período Colonial en Hispanoamérica para hacer referencia a un hidalgo español, quien, venido a menos, todavía mantenía de alguna manera el tono de su antigua posición aristocrática: "—Parece que en la Colonia a un noble español venido a menos le llamaban de la misma manera. Un hombrecito que, a pesar de su ropa en harapos y su estómago vacío, usaba reverencias de caballero de capa y espada, liturgia de palacio, pañuelo de batista." (págs. 39-40). Esto también hace pensar en la descripción del hidalgo trágico del *Lazarillo de Tormes,* y representa un ejemplo más de la influencia de este género en la novela de Icaza.

[18] La invitación de doña Francisca al joven fiscal a codearse con la alta aristocracia de la capital, después de haber tratado de sobornarle ("Puede hacer buenas amistades. Nuestra oferta no es mala. Algo debe haberle dicho el empleado..."), y la turbación resultante sufrida por Luis Alfonso, al oír las declaraciones despreciables hechas contra él por los representantes de la flor y nata de la sociedad quiteña ("«¡Cholantojo!», «¡Atrevido!», «¿Por qué no le echan a patadas?», «¿Fiscalizar? ¿A quién, cómo, por qué?» «¡Somos los amos! ¡Dudar de nosotros es dudar de Dios, de la Patria, de todo...!»") son elementos que recuerdan la situación paralela en la que está envuelto el cholo Serafín Oquendo, de *Media vida deslumbrados,* discutida anteriormente en el presente capítulo. Ambos episodios deben recordarle al lector el cuadro de costumbres, *La sociedad,* del escritor satírico español del siglo XIX, Mariano José de Larra. En este cuadro, una vez que ha presentado a su primo a la sociedad, le afirma con mucho sarcasmo a su pariente desilusionado: "—¿Qué quieres? ¡En la sociedad siempre triunfa la hipocresía!" (Clásicos Castellanos, núm. 45 [Madrid: Espasa-Calpe, S. A., 1952], pág. 192.)

[19] Valentín de Pedro, en su reseña de *El chulla Romero y Flores* en *Letras del Ecuador* (octubre, 1959), pág. 18, señala que el *chulla* Luis Alfonso representa un símbolo o tipo de una clase social entera. Además, el crítico acentúa el hecho de que el uso de personajes que son tipos, más bien que individuos, es un rasgo muy común de la novelística de Icaza: "...el chulla Romero y Flores adquiere un carácter representativo, como encarnación

de un tipo determinado que es espejo de muchos, figura casi simbólica de una clase social, cosa que está muy dentro del gusto o manera propia de Jorge Icaza, en cuya obra tiende a reflejar más que casos individuales, estados sociales, o si se quiere estados sociales a través de casos individuales."

[20] Enrique Larreta, *La gloria de don Ramiro* (Tercera edición; Buenos Aires: Editorial Sopena Argentina, S. R. L., 1955), pág. 99.

[21] *Ibid.*, pág. 245.

[22] Debe recordarse que tradicionalmente se retrataba la nobleza en la comedia española del Siglo de Oro como conferida al nacer alguien que tenía antepasados y padres aristocráticos. A veces, sin embargo, el concepto de la nobleza se basaba en los actos nobles hechos por un individuo. Véase especialmente *La verdad sospechosa*, quizás la obra maestra de Juan Ruiz de Alarcón, la cual nos presenta al gran mentiroso, don García, quien es amonestado de su padre, don Beltrán, por sus muchas mentiras y falta de sinceridad. El anciano le recuerda al hijo que "Sólo consiste en obrar / como cavallero el serlo." (Acto II, escena IX).

[23] Larreta, *op. cit.*, pág. 188.

[24] El ecuatoriano Enrique Ojeda, en su crítica de la última novela de Icaza, elogia mucho el uso por nuestro novelista de este recurso literario por medio del cual el protagonista se desnuda el alma, llena de un tremendo conflicto psicológico: "Sobre el torturado espíritu del chulla se ciernen dos sombras tutelares. Son los padres de Romero y Flores —don Miguel y mama Domitila— que retornan para establecer el diálogo eterno y poderoso de la sangre. Voz de humildad compungida en la india, voz de arrebato y desplante en el patricio. Qué inevitable acierto el de Icaza en dar voz y figura a las tendencias raciales que pugnan en el alma del chulla; al representarlas en la persona de los padres explica su origen, les da sentido y las expresa en manera dramática." (*Cuatro obras de Jorge Icaza* [Quito: Casa de la Cultura Ecuatoriana, 1961], págs. 116-117.)

[25] Perseguido por la policía por haber cambiado un cheque sin valor, y buscado, además, por haber cometido un "crimen" mucho más grave —el de haber desenmascarado la corrupción practicada por varios políticos que tienen altas posiciones en el gobierno nacional— Luis Alfonso, amparado por sus amigos cholos, se detiene a pensar un momento en la decadencia de la sociedad, de la cual forma parte: "¿Y el disfraz de chulla de porvenir, pulcro, decente? Se llevaron los vecinos de la casa de mama Encarnita, la generosidad de las gentes pobres, la gana de morir frente al atropello, al engaño, al abuso. Vio claro. Tenía que luchar contra un mundo absurdo." (págs. 257-258).

[26] En el *Quijote*, Parte Primera, capítulo XI, el caballero andante lamenta el estado lastimoso de la humanidad en el siglo XVII. En una sátira de la época, la cual está escondida bajo el velo de un ambiente pastoril, don Quijote desea vivamente la vuelta de la felicidad y de los valores espirituales de la Edad de Oro (en contraste con "esta nuestra edad de hierro"), en la cual los antiguos vivían en completa armonía: "—Dichosa edad y siglos dichosos aquellos a quien los antiguos pusieron nombre de dorados, y no porque en ellos el oro, que en esta nuestra edad de hierro tanto se estima, se alcanzase en aquella venturosa sin fatiga alguna, sino porque entonces los que en ella vivían ignoraban estas dos palabras de *tuyo* y *mío*...

. . . .

Todo era paz entonces, todo amistad, todo concordia..."

. . . .

7. ICAZA

SEGUNDA PARTE

EL SUBSTRATO LINGÜÍSTICO QUECHUA Y LA ÍNDOLE
DEL IDIOMA ESPAÑOL EN LA SIERRA ECUATORIANA:
UNA PERSPECTIVA DEL REALISMO REGIONAL
EN EL ARTE NOVELÍSTICO DE JORGE ICAZA

CAPÍTULO VI

LA DIALECTOLOGÍA HISPANOAMERICANA: EN TORNO A UNA PERSPECTIVA HISTÓRICA

A partir del siglo XVI, cúspide gloriosa del período colonial de España en el Nuevo Mundo, el habla popular que existe en diversas regiones de la América hispánica ha atraído el interés de los expertos de la filología española. Cubriendo, geográficamente, un territorio extensísimo que abarca selvas, llanos infinitos y extensas cadenas de montañas, las repúblicas hispanoamericanas nos ofrecen, con la misma variedad, un conjunto dialectal que se caracteriza también por sus contrastes y divergencias. Muchos de los eruditos dedicados al estudio de la ciencia lingüística han atribuido, por mucho tiempo, las discrepancias del habla popular existentes en esas naciones al fenómeno del substrato, perpetuado al correr de los años por las extensas y populosas masas indígenas que son hoy los descendientes empobrecidos de los gloriosos imperios que florecieron antes de la llegada de los españoles.

A lo largo de cuatrocientos años, una profusa cantidad de documentos históricos ha preservado para la posteridad una excelente representación de la palabra hablada, tal como fue enunciada por el autóctono indio hispanoamericano, cuyos descendientes, siglos después, llegaron a constituir un factor importantísimo en el establecimiento de una sociedad híbrida. Con cada envío de soldados despachados al Nuevo Mundo por la Corona Real de España durante el período tormentoso y dinámico de la Conquista, vinieron un número de misioneros. Estos se interesaron en extender el cristianismo a las

101

hordas de vencidos paganos, y, con ese objeto, intentaron lograr la salvación por la cruz al lado de la destructiva espada de los Conquistadores. Estos fueron hombres como Fray Bartolomé de las Casas, Motolinía (Fray Toribio de Benavente), y Fray Bernardino de Sahagún —misioneros que no sólo se dedicaron a cristianizar, sino que, al mismo tiempo, fueron destacados historiadores y filólogos. Confrontados con el problema básico de la comunicación, estos apóstoles se vieron forzados por la necesidad a aprender los idiomas extraños de las masas subyugadas por la ambición gloriosa de España. En su obra, *Historia de la literatura mexicana,* el mexicano Carlos González Peña ve el aprendizaje de las lenguas nativas por los misioneros como el *sine qua non* de sus esfuerzos evangélicos:

> ...El acto de convertir traía necesariamente aparejado el de conocer y el de enseñar. Había que entrar en íntima relación con los naturales, familiarizarse con su lengua, costumbres y carácter, investigar su historia y tradiciones, ahondar, en suma, en su espíritu.[1]

En realidad, la tarea no resultó ni fácil ni breve. Fue tediosa la labor de asimilar los sonidos extraños a la fonética española y de reproducir los mismos de una manera gráfica para la posteridad. De especial interés para los filólogos futuros fue la obra de Fray Sahagún quien «ya escribía en español, ya en mexicano, ya agregaba el latín o daba dos formas al mexicano.»[2] Hoy día, los lingüistas se sienten muy agradecidos al estudio comparativo del padre Sahagún, *Vocabulario trilingüe: en castellano, latín y mejicano,* diccionario que ha sido de uso indispensable en el campo de la dialectología moderna en Hispanoamérica.

En los últimos cuarenta años, una escuela de filólogos ha mostrado un creciente interés en la índole del idioma español, tal como se habla en varias regiones de la América hispánica.[3] La característica más preponderante de este grupo ha sido la creencia de que el idioma hablado es el más apto medio existente para la transmisión de peculiaridades dialectales. Empezando allí, esos eruditos se han entrevistado con los nativos y han logrado dar un atlas lingüístico parcial de Hispanoamérica. Un indispensable amor hacia el idioma castellano y un deseo apasionado de estudiar sus manifestaciones, influidas como ya dijimos por un fuerte substrato lingüístico, han motivado el singular interés de ese grupo de filólogos.

Tomás Navarro, uno de los más destacados investigadores de la filología española, ha sentado la firme creencia —compartida por sus seguidores— que el idioma hablado de una región está estrechamente relacionado a la historia socio-económica que caracteriza a dicha zona:

> No hay entre los habitantes de cualquier pueblo, comarca o región, diferencia de modo de hablar, en lo que se refiere a la denominación de los objetos, a la pronunciación de las palabras o a las cadencias e inflexiones del acento, que no responda al efecto de alguna circunstancia relativa a la historia de esos lugares. Al lado de la lengua literaria, instrumento esencial de la cultura común, las formas de las hablas locales, en sus modalidades más populares y espontáneas, que algunos desdeñan ligeramente como meros errores fonéticos o gramaticales, revelan influencias y relaciones de valiosa significación histórica y completan el conocimiento de problemas lingüísticos de interés general.[4]

A pesar de que este grupo de eruditos ha esclarecido muchas divergencias del llamado «castellano culto», tal como fueron apercibidas por las palabras de los informantes nativos, existen todavía muchos problemas lingüísticos. Debido a la gran extensión geográfica de Sudamérica y de la América Central, subsisten algunas regiones aisladas cuya habla popular se caracteriza por un rico contenido lingüístico, desconocido hasta la fecha. Debido a esta problemática, no se ha podido lograr un estudio completo. Según Charles E. Kany:

> ...no complete scientific exposition can as yet be presented of Spanish American linguistic usage. The final result must await, possibly for decades to come, a painstaking survey of geographic linguistics throughout the nineteen countries involved. This means local exploration of every town and village with well-organized questionnaires on all minutiae (such as Navarro Tomás' *Cuestionario lingüístico hispanoamericano*) and, based on this study, the making of thousands of maps or charts, each one of which will limit the geographical area of a single phenomenon —phonetic, morphological, or syntactical as the case may be.[5]

El interés que ha ido creciendo en el español hablado y en los dialectos indígenas de Hispanoamérica —interés que tuvo sus comienzos en la primera mitad de este siglo— no se limitó, únicamente, a las investigaciones científicas de los filólogos. A lo largo del mismo período cronológico, un número impresionante de novelistas hispano-americanos iban a alcanzar renombre internacional al hacer uso artístico de su habla nativa en sus obras literarias. La descripción fiel de las distintas variantes dialectales que se hallan en la lengua popular de la América hispánica constituyó una parte integral de otro aspecto de sus novelas: el sociológico. Tal como hemos visto anteriormente a lo largo del presente estudio, la opresión y la explotación del indio y del mestizo durante el Período Colonial no han desaparecido por completo en las sociedades hispanoamericanas del siglo xx. Fue natural y lógico, por consiguiente, que los novelistas expresaran en sus obras la preocupación y la compasión por las masas oprimidas y que intentaran, por medio de su habilidad literaria, remediar las condiciones socio-económicas que avasallaban al indio y al mestizo.

Debido a su nueva conciencia, los novelistas se dieron cuenta de que sus respectivas repúblicas se prestaban, maravillosamente, para un sin fin de temas literarios. De ese modo, ellos han producido varias obras de mérito indiscutible y que han logrado la aclamación popular. En su intento de recrear las peculiaridades que caracterizan sus regiones personales, tales como se reflejan en su habla y en sus esferas sociales, y, al intentar reproducirlas con exactitud, se han visto obligados a escribir a la manera de los miembros de la escuela costumbrista del siglo xix español. Al retratar el habla viva de los diversos dialectos y las costumbres regionales de los distintos países, esta nueva generación de escritores a menudo lo relacionaba todo con su correspondiente problemática social. En pocas palabras, lo logrado se caracterizó por la temática autóctona y el estilo realista, y, muchas veces, por la falta de belleza y del buen hablar de sus personajes.[6] Los mejores ejemplos de esta nueva tendencia se hallan en las novelas gauchescas de la Argentina y el Uruguay —novelas que surgieron en la última década del siglo xix y que culminaron con la obra cumbre, *Don Segundo Sombra* (1926), de Ricardo Güiraldes. Estos novelistas, muy interesados en interpretar la vida, la sociedad, el folklore, y, sobre todo, el habla rústica del gaucho, a menudo usaban transcripciones fonéticas para recrear la lengua popular de la pampa. De especial interés es la novela argentina, *El romance de un gaucho* (1930) de Benito Lynch, ya que está escrita reproduciendo con fidelidad extraordinaria el lenguaje del gaucho. Desde el momento que los autores y editores de esas novelas criollistas se dieron cuenta de que sus lectores, dentro y fuera de Hispanoamérica, iban a encontrar muchas dificultades con los modismos regionales presentes en las obras, ellos empezaron a incluir en sus ediciones vocabularios que les ayudaban a los lectores a entender el contenido con mayor facilidad.

Ya hemos mencionado que, entre esta generación de novelistas regionales en la literatura hispanoamericana del siglo XX, el ecuatoriano Jorge Icaza está considerado como uno de sus más gloriosos representantes. En la Primera Parte de nuestro estudio, hemos examinado detalladamente el interés de este escritor en el tema de la justicia social en su país. La Segunda Parte se concentrará en responder a la pregunta: ¿Cómo se presta la técnica novelesca de Icaza a un estudio de la dialectología hispanoamericana?

En nuestra discusión de los antecedentes históricos del Ecuador, la cual el lector ha encontrado en las primeras páginas de la presente monografía, hemos señalado que ese país formó parte integral del vasto Imperio Incaico. Como se comprenderá fácilmente, la índole del español y de los dialectos indígenas hablados hoy en día en el Ecuador refleja el influjo del substrato indígena que fue peculiar de los Incas —el quechua. En la actualidad, el habla indígena de mayor uso allí y el idioma que se habla con tanta profusión como el castellano, sobre todo en la región andina, es predominantemente el quechua.

A pesar de que Icaza ha recreado con fidelidad, en la mayoría de sus novelas, el lenguaje popular y rústico de la Sierra ecuatoriana, especialmente en lo que se refiere al habla del indio, logra su máximo exponente en *Huasipungo*. Por medio del uso intenso de diálogos, recreados con facilidad y destreza, Icaza nos ofrece en *Huasipungo* un cuadro real del español ecuatoriano, el cual refleja la fusión de dos culturas distintas —la española y la autóctona. ¿Hasta qué punto ha influido el quechua en el uso del castellano en la región andina del Ecuador? Nuestra Segunda Parte intentará, a través de las páginas de *Huasipungo*, dar la respuesta a esa pregunta.

NOTAS

[1] Carlos González Peña, *Historia de la literatura mexicana* (Octava edición; México: Editorial Porrúa, 1963), pág. 3.
[2] *Ibid.*, pág. 36.

³ Entre ellos figuran filólogos tan célebres como Pedro Henríquez Ureña (*Observaciones sobre el español en América*, Buenos Aires: Imprenta de la Universidad de Buenos Aires, 1921), Amado Alonso (*Problemas de dialectología hispanoamericana*, Buenos Aires: Facultad de Filosofía y Letras de la Universidad de Buenos Aires, 1930), Ciro Bayo (*Manual del lenguaje criollo de Centro y Sudamérica*, Madrid: R. Caro Raggio, 1931), Rufino Cuervo (*Apuntaciones críticas sobre el lenguaje bogotano*, Séptima edición; Bogotá: Editorial "El Gráfico", 1939), Francisco Santamaría (*Diccionario general de americanismos*, México: Editorial P. Robredo, 1942), Tito Saubidet (*Vocabulario y refranero criollo*, Buenos Aires: Editorial G. Kraft, Ltda., 1943), y Tomás Navarro Tomás (*El español en Puerto Rico*, Río Piedras: Universidad de Puerto Rico, 1948).

⁴ Tomás Navarro Tomás, *Cuestionario lingüístico hispanoamericano* (Segunda edición; Buenos Aires: Instituto de Filología, Universidad de Buenos Aires, 1945), pág. VI.

⁵ Charles E. Kany, *American-Spanish Syntax* (Chicago: University of Chicago Press, 1945), pág. VI.

⁶ *Ibid.*, pág. V. En el prólogo del libro de Delos Lincoln Canfield, *La pronunciación del español en América* (Bogotá: Instituto Caro y Cuervo, 1962), pág. 9, Tomás Navarro Tomás afirma que en la presente década estas investigaciones lingüísticas todavía están incompletas: "Queda mucha tarea para los que se sientan atraídos por la exploración de este terreno. En la mayor parte de los países la labor aún no ha pasado de su período inicial."

Capítulo VII

LA FONOLOGÍA DEL ESPAÑOL EN EL ECUADOR

El siglo XVI en la historia de Hispanoamérica se ha caracterizado, más que ningún otro, por la realidad doble de las aventuras imperiales de España en busca de riquezas fabulosas, gloria personal, y gente primitiva y pagana, a quien hubo que convertir al cristianismo, por una parte, y por los cambios y trastornos internos que resultaron en la configuración emergente de las civilizaciones hispanoamericanas, por la otra. Una vez que los pueblos indígenas fueron derrotados, empezó un lento y extenso proceso de adaptación a la cultura de los conquistadores. Visto desde el punto de vista lingüístico, el castellano de los vencedores se estableció como el idioma oficial de las nuevas colonias. No se debe de creer, sin embargo, que toda la población indígena de América fuera a abandonar por completo sus primitivos idiomas. Lo que sucedió fue que inmensas poblaciones indígenas continuaron hablando sus lenguas autóctonas al mismo tiempo que el idioma español, forzados a hablarlo para poder sobrevivir. Hoy en día, amplios segmentos de lenguas primitivas subsisten en varias repúblicas hispanoamericanas. En algunas, vemos la subsistencia de la lengua original con la española, lado a lado. En su discusión sobre el influjo de los numerosos substratos indígenas en el español de Hispanoamérica, Rafael Lapesa nos dice:

Las que han dejado más huellas en el habla son el *arahuaco,* de las Antillas, hoy desaparecido; el *caribe,* del Sur de las Antillas, Venezuela y Guayanas; el *náhuatl,* principal lengua del imperio mexicano; el *quechua,* del Perú, extendido por los incas a lo largo de los Andes, desde el Ecuador hasta el Norte de Chile y Noroeste de Argentina; el *arau-cano* o *mapuche*, refugiado en el Sur de Chile, y el *guaraní*, hablado en las cuencas del Paraná y Paraguay y en el Brasil.[1]

El estudio del influjo de los substratos lingüísticos sobre el español no ha sido tarea fácil, debido a la existencia de centenares de idiomas indígenas en el Nuevo Mundo. Por consiguiente, ha sido muy difícil estudiar la evolución exacta de un amplio número de fonemas, morfemas y elementos sintácticos. A pesar de que muchos filólogos se sienten muy convencidos de que la existencia de esos substratos indígenas ha causado la «contaminación» del español en la repúblicas hispanoamericanas, ha habido cierto desacuerdo entre ellos en cuanto a la validez completa de esta creencia. De acuerdo con Lapesa,[2] se han producido dos escuelas con diferente interpretación. Básicamente, ambas se caracterizan por los siguientes elementos: (1) Aquéllos que han atribuido al fenómeno del substrato todos los elementos ajenos al español[3] y (2) Aquéllos que creen que es lógico suponer que los varios dialectos españoles han evolucionado como resultado del desarrollo paralelo e interno del español mismo, aunque ellos no excluyen del todo la influencia recíproca que ha ocurrido en el léxico.[4]

Tal como hemos enunciado a lo largo de este estudio, el idioma hablado por las masas indígenas del Ecuador es el quechua.[5] Una posible aclaración del origen de la palabra *kkéchuwa* se nos da por el Padre Jorge A. Lira, en su *Diccionario kkéchuwa-español*:

> Idioma hablado por los de la civilización inkayka, y que fue denominado así, por vez primera, por el P. Domingo de Sto. Tomás. Qué razón sugirió a Domingo de Sto. Tomás para designar de este modo al idioma que, todos los pobladores del reino pre-colombino Tawantinsúyo conocían por Runassimi, no sabemos. Quizá no sea aventurado, a juzgar por el sentido del vocablo, que tal cosa dimana de que los nativos calificaron como ladrones extorsionadores a sus depredadores, y que el autor del primer tratado del idioma tuvo la habilidad de retrovertir.[6]

Según el catedrático norteamericano D. Lincoln Canfield, el Santo Tomás mencionado por Lira como el probable originador del término fue un ilustrado misionero español:

> ...a native of Sevilla and author of the first dictionary of the language of the vast Inca Empire, who had left Spain with the Pizarro expedition

108

in 1529 and was to become one of that great body of Spanish humanists
who put into writing most of the Indian languages of the then-known
America.[7]

La República del Ecuador, al unísono con otras naciones hispanoamericanas, no posee una población que se caracteriza por una homo-
geneidad racial. De un total de 110 millones de hispanoamericanos,
la mitad o más son indios o mestizos.[8] El Ecuador hoy día tiene una
población de 6.000.000, más o menos, la cual está compuesta de los
siguientes porcentajes: Blancos, 13,8 por ciento; Mestizos, 24,8 por
ciento; e Indios, 57,6 por ciento.[9] Debido a esta falta de homoge-
neidad, el español hablado en el Ecuador refleja una heterogeneidad
paralela. Los estudios de Peter Boyd-Bowman sobre la pronunciación
del español en el Ecuador reflejan la existencia de tres zonas geográ-
ficas que muestran diferencias dialectales dentro del Ecuador:

> Según los datos a nuestro alcance, el Ecuador puede dividirse en tres
> zonas dialectales: 1) la *Costa* (con Guayaquil), que desde el punto de
> vista fonético forma parte de la vasta y antigua zona marítima de influen-
> cia negra y andalucista (las Antillas; la costa mexicana de Veracruz,
> Tabasco y Campeche; Panamá y partes de Centro-américa; las costas
> de Venezuela, Colombia, Ecuador, Perú y centro de Chile), 2) la *Sierra*
> (con Quito), que se vincula lingüísticamente con el Sur de Colombia y
> el Norte del Perú, y 3) las *Provincias Amazónicas*.[10]

De las tres regiones lingüísticas, la Sierra constituye la sección más
numerosa, quizá por hallarse en ella Quito, la capital. Es el lenguaje
de esa región andina, en la cual vive la mayoría de los indios, el usado,
de una manera maestra, por Jorge Icaza en los diálogos de *Huasipungo*.
Al hacerlo, el novelista ecuatoriano ha dado especial autenticidad al
mundo quechua, que tan bien conoce.

Es importante hacer notar que el quechua hablado en la Sierra
ecuatoriana difiere, en algunos aspectos, del quechua hablado por los
indios peruanos. A través de los siglos, la variedad ecuatoriana ha
experimentado cambios esenciales, especialmente en su fonología, hasta
tal punto que si se iniciara una conversación entre los dos grupos
de indios, el resultado sería que no habría siempre comprensión inte-
ligible.[11] Humberto Toscano Mateus aclara tal fenómeno con las siguientes palabras:

Según Grimm, la principal diferencia entre el quichua del Cuzco y el de Quito consiste en que éste sólo tiene las tres vocales «*a, i, u;* rara vez *o,* nunca *e,* mientras la lengua del Cuzco tiene todas las cinco vocales».[12]

Las diferencias lingüísticas de mayor importancia que existen entre el español hablado en la Costa ecuatoriana y el que se habla en la región andina se caracterizan por unas pequeñas distinciones fonológicas. Toscano Mateus, en su estudio sobre la naturaleza de los idiomas que se hablan en su país —el Ecuador— estructura claramente las más destacadas discrepancias fonéticas que segregan estas dos zonas:

> Las principales diferencias entre el habla de la Sierra y la de la Costa son fonéticas: la *rr* asibilada es propia de la Sierra, con la excepción de Loja. La *ll* se distingue de la *y* en toda la Sierra, pero no en la Costa. La Sierra pronuncia todas las *s,* mientras la Costa aspira las implosivas *(desde > dehde).* En general, los serranos articulan hasta exageradamente las consonantes (nunca se suprime la *d* intervocálica, muchas *r* se convierten en *rr*), pero pronuncian las vocales con un timbre vacilante. En la Costa se pronuncian correctamente las vocales, y hasta se conservan muchos hiatos, pero las consonantes se articulan menos bien.[13]

El hecho de que el español de la Sierra refleja un menor grado de corrupción puede atribuirse a que los hablantes del quechua en esa región, debido a la flexibilidad de su idioma indígena, pueden adaptar bastante fácilmente los sonidos del español a su propio sistema de fonemas y viceversa.[14] Por otra parte, quizá las diversas influencias extranjeras bajo las cuales los habitantes de la Costa se hallan expuestos —por el comercio marítimo (sobre todo en Guayaquil)— puedan ser responsables por su tendencia a corromper la pureza del castellano «culto».

Según Toscano Mateus, «el quichua, en su variedad ecuatoriana, es muy rico en consonantes. Si se lo compara con el español, aunque le falta la *f,* tiene, en cambio, fonemas semejantes a la *j* y *ch* francesas, a la *ç* antigua del castellano (ts), la *s* sonora.»[15] Una observación interesante que se ha hecho respecto a las dos lenguas es que, mientras el español «culto» hablado hoy en día ha cambiado mucho a través de los siglos, el quechua que se habla en la Sierra ecuatoriana en la actualidad, influido grandemente durante la época de la Colonia, ha conservado varios sonidos del español antiguo.[16]

Uno de los rasgos más peculiares del idioma quechua tal como se refleja en la pronunciación del español de la región andina del Ecuador es su sistema de variación de vocales. Ya que los hablantes del quechua en el Ecuador utilizan, por lo general, solamente tres vocales —a, i, u— comparado con las cinco que existen en el español, al pronunciar un indio serrano una palabra castellana que tiene las vocales a, e y o, él articulará la primera vocal inalterada porque ya existe en su fonética indígena, mientras que con frecuencia la e se convierte en i y la o en u.[17] Es de notar, sin embargo, que este fenómeno de pronunciar cerradas las dos vocales quechuas no se limita solamente al habla popular del indio ecuatoriano, sino que caracteriza también la pronunciación de la población no-indígena de la región de Quito. En cuanto a la uniformidad de pronunciación de las vocales en el Ecuador, Toscano Mateus afirma:

> En general, puede decirse que en el Ecuador, respecto a la pronunciación de las vocales, hay dos zonas muy marcadas: los costeños las pronuncian mejor, más ajustadamente al canon general del idioma; los serranos, en cambio, tienden a cerrarlas y a pronunciarlas menos distintamente.[18]

Ya que hemos presentado algunos de los rasgos sobresalientes del quechua, vamos a analizar el efecto del idioma indígena sobre el español rústico de la Sierra ecuatoriana, tal como aparece en los diálogos de la novela *Huasipungo*.[19]

1. La vocal española *o*, que no existe en el sistema fonológico de los hablantes del quechua en el Ecuador, se pronuncia, por lo común, *u*, por ser este sonido el más cercano al castellano.

El español ecuatoriano	El castellano «culto»[20]
buca (pág. 36)	boca
cun buca (pág. 36)	con boca
acustumbrar (pág. 36)	acostumbrar
nusutrus (pág. 37)	nosotros
pudriditu (pág. 47)	podrido
puquitu (pág. 47)	poquito
tuditicu (pág. 47)	todito
agusanadu (pág. 50)	agusanado

utrus dus (pág. 115)	otros dos
lus sucurrus (pág. 140)	los socorros
cumu (pág. 164)	como

Asimismo, esta falta de distinción fonémica se refleja en el cambio de la *e* española a la *i* quechua:

El español ecuatoriano	El castellano «culto»
istabas (pág. 24)	estabas
cirrada (pág. 36)	cerrada
intiramenti (pág. 36)	enteramente
via (pág. 77)	vea
pindijadas (pág. 126)	pendejadas
tinimus (pág. 140)	tenemos

Ambos tipos de cambios ocurren principalmente en el habla popular de los indios serranos, aunque a menudo también son característicos del español hablado por los cholos en la región de Quito.

2. El fonema español /f/ (labiodental fricativa sorda; bilabial en el español del Ecuador), ante el diptongo *ue*, se convierte en el sonido uvular vibrante /h/, representado en la ortografía por *j*:[21]

El español ecuatoriano	El castellano «culto»
jué (pág. 41)	fue
jueran (pág. 48)	fueran
juerte (pág. 96)	fuerte
juerza (pág. 115)	fuerza
juera (pág. 116)	fuera

Se ha notado cierta vacilación en la pronunciación de la *j* en las diferentes zonas lingüísticas del Ecuador.[22] Aunque este cambio se halla también en el dialecto gauchesco del español argentino (ya que este último también refleja el influjo del quechua), sospechamos que, en este caso, la /f/ española —desconocida a los hablantes del quechua—[23] resulte por analogía con la /h/ en posición inicial, sonido de aspiración ligera, el cual sí existe en el sistema fonológico quechua.

3. El sonido español representado por las letras *ll* (palatal lateral sonora) se convierte en palatal fricativa sonora /ž/:

El español ecuatoriano	El castellano «culto»
shurandu (pág. 24)	llorando
shevar (pág. 36)	llevar
osha (pág. 37)	olla
shuver (pág. 38)	llover
gashinitas (pág. 45)	gallinitas
mishones (pág. 94)	millones
ashí (pág. 121)	allí
vashe (pág. 121)	valle
cashá (pág. 146)	callad
poshitos (pág. 150)	pollitos

Al sustituir la forma ortográfica *sh* por *ll*, para representar el fonema /ž/, Icaza ha intentado describir el sonido tal como se pronuncia en el español ecuatoriano, sobre todo en el habla rústica de los indios andinos. Esta palatal fricativa sonora —que caracteriza también los dialectos del castellano en otras partes de la América del Sur— es especialmente común en el español de la Argentina. Es interesante observar que en el Ecuador, la pronunciación de *ll* no es nada constante.[24] En tres provincias meridionales de la Sierra —Cañar, Azuay y Loja— la palatal fricativa sonora del castellano peninsular se ha conservado, mientras que en otras partes de la Sierra, *ll* se pronuncia /ž/.[25] Por otra parte, la Costa, igual que la mayor parte de Hispanoamérica, prefiere el sonido /y/.[26] Nosotros creemos que el cambio fonémico *ll*-/ž/, fenómeno típico del español vulgar hablado extensamente en Sudamérica, tenga su origen en el /ž/ del quechua autóctono. Dado el prestigio del idioma quechua antes y después de la Conquista, no sólo entre los pueblos de la región andina, sino también por toda la América del Sur,[27] parece lógico asumir que este fonema haya tenido mucha difusión.

4. Cambios esporádicos. Se incluyen en esta categoría palabras que se consideran ejemplos del español regional y rústico. Muy populares en el habla del indio serrano y de la población inculta de la Sierra, muchos de estos vocablos se han desarrollado sencillamente debido a cierta relajación muscular en la pronunciación.

113

A) *Aféresis* (la pérdida de prefijos de una palabra)

El español ecuatoriano	*El castellano «culto»*
onde (pág. 48)	donde
ñora (pág. 115)	señora

B) *Apócope* (la supresión de un fonema o de un grupo fónico al final de palabra)

El español ecuatoriano	*El castellano «culto»*
tan (pág. 21)	también
demás (pág. 95)	demasiado

C) *Síncope* (pérdida fonémica dentro de una palabra)

El español ecuatoriano	*El castellano «culto»*
miso (pág. 37)	mismo
cru qui (pág. 125)	creo que

D) *Metátesis* (la transposición de fonemas dentro de una palabra)

El español ecuatoriano	*El castellano «culto»*
naides (pág. 32)	nadie

Este tipo de metátesis simple, reflejado también en el español literario del siglo XVI, se ha notado como fenómeno bastante común en el español ecuatoriano.[28] Es muy probable que la forma *naides,* que tiene una *s* superflua, se haya desarrollado por analogía con la forma negativa *ningunos.*

5. Inclinación a la diptongación

El español ecuatoriano	*El castellano «culto»*
aurita (pág. 41)	ahorita
trair (pág. 47)	traer
brujiadu (pág. 51)	brujeado
maiz (pág. 77)	maíz

via (pág. 77)	vea
maistru (pág. 80)	maestro
pior (pág. 85)	peor
riales (pág. 115)	reales

Es evidente que esta diptongación, que ocurre muy a menudo, sobre todo en el habla del indio ecuatoriano de la Sierra, se ha desarrollado de la tendencia a pronunciar más elevadas las vocales abiertas españolas *e* y *o* para que correspondan a las vocales quechuas *i* e *u*, respectivamente, formando diptongo fácilmente con la vocal consecuente. Si se examina cualquier gramática del quechua, se puede ver que el idioma indígena también refleja cierta tendencia hacia la diptongación.

6. Cambios de acentuación

El español ecuatoriano	*El castellano* «*culto*»
niñá (pág. 31)	niña
bajenlé (pág. 51)	bájenle

Este fenómeno lingüístico, peculiar al habla rústica serrana del Ecuador, parece hallarse principalmente en formas del imperativo y en vocativos. El hecho de que el quechua, que se caracteriza, por lo común, por el acento en la sílaba penúltima, también refleja este cambio acentual bajo las mismas condiciones,[29] no puede considerarse pura coincidencia.

NOTAS

[1] Rafael Lapesa, *Historia de la lengua española* (Tercera edición; Madrid: Escelicer, 1955), págs. 327-328.

[2] *Ibid.*, pág. 328.

[3] Un ávido proponente de esta teoría es Charles E. Kany. En su discusión acerca del influjo de los idiomas indígenas sobre el español de la América hispana, Kany afirma: "These various substratum languages colored the Spanish spoken in each region and were deciding factors in the division of Spanish America into five linguistic zones: the Caribbean zone with Arawak and Carib; the Mexican zone (including Central America) with Nahuatl and Maya-Quiché; the Andean zone with Quechua and Aymara; the River Plate zone with Tupi-Guaraní; the Chilean zone with Mapuche." (*American-Spanish Semantics* [Berkeley and Los Ángeles: University of California Press, 1960], p. 3.)

[4] William J. Entwistle rechaza las observaciones de Kany y las de los otros filólogos que apoyan la teoría del substrato en Hispanoamérica: "A tempting hypothesis is that which would attribute the American variations to the influence of the Indian substratum or substrata.

Knowledge of these languages is so rare among Romance philologists that one evident crux of the substratum-theory is not always realized, namely that the American Indian languages have nothing in common and so do not provide the fairly uniform features of American varieties of Spanish. We should expect wide divergences, where only slight ones are found. We should also expect to see reproduced some of the native habits of thought: some incorporation, some development of agglutinative suffixes, some peculiar phonemes. Actually nothing of the kind occurs; all variations are such as the Spanish language spontaneously offers of itself." (*The Spanish Language* [London: Faber and Faber, 1951], página 250.)

[5] Aunque los censos de la mayor parte de la América hispana han sido bastante incompletos, según Angel F. Rojas, *La novela ecuatoriana* (México: Fondo de Cultura Económica, 1948), pág. 31, el quechua es hablado por más de un millón de indios ecuatorianos. Se cree también que hoy día hay más de 5.000.000 de personas que hablan quechua en la región andina de Bolivia, del Ecuador y del Perú.

[6] Jorge A. Lira, *Diccionario kkéchuwa-español* (Tucumán, Argentina: Universidad Nacional, 1944).

[7] D. Lincoln Canfield, "Two Early Quechua-Spanish Dictionaries and American-Spanish Pronunciation", en la colección de ensayos, *South Atlantic Studies for Sturgis E. Leavitt* (Washington: Scarecrow Press, 1953), pág. 63.

[8] Francisco Ferrándiz Alborz, *El novelista hispanoamericano Jorge Icaza* (Quito: Editora Quito, 1961), pág. 66.

[9] J. Eugenio Garro, "Jorge Icaza: Vida y obra", *Revista hispánica moderna*, XIII (1947), 204.

[10] Peter Boyd-Bowman, "Sobre la pronunciación del español en el Ecuador", *Nueva revista de filología hispánica*, VII (1953), 222-223.

[11] Humberto Toscano Mateus, *El español en el Ecuador* (Madrid: Consejo Superior de Investigaciones Científicas, Escelicer, 1953), pág. 27.

[12] *Ibid.*

[13] *Ibid.*, pág. 37.

[14] Juan Benjamín Dávalos, *Gramática elemental de la lengua quechua* (Lima: Imprenta Librería Ariel, 1938), pág. 10.

[15] Toscano Mateus, *op. cit.*, pág. 28.

[16] *Ibid.*, págs. 23-24.

[17] *Ibid.*, págs. 51-52.

[18] *Ibid.*, pág. 49.

[19] Por la mayor parte de nuestra discusión lingüística en la Parte Segunda de la presente monografía, la edición de *Huasipungo* que citamos es la primera (Quito: Imprenta Nacional, 1934).

[20] Aunque el español "culto" va asociado a menudo con el uso académico de España, no se puede estar seguro de lo que constituye el castellano castizo. Para nuestros propósitos en el presente estudio, seguimos la siguiente norma establecida por Charles E. Kany, en su libro, *American-Spanish Semantics* (Berkeley y Los Ángeles: University of California Press, 1960), pág. 13: "...Spanish of a high and rather uniform level as found in literary style and as used by cultured speakers in formal or careful discourse, without reference to geographic background."

[21] Tomás Navarro Tomás, *Cuestionario lingüístico hispanoamericano* (2.ª ed.; Buenos Aires: Instituto de Filología, Universidad de Buenos Aires, 1945), pág. 38.

[22] "La *j* se pronuncia uvular vibrante entre los indios y entre el vulgo de la Sierra. En el resto de los hablantes serranos la *j*, sin llegar a la aspiración a que queda reducida en la Costa, es una fricativa mucho más blanda que en Castilla." (Toscano Mateus, *op. cit.*, pág. 85).

[23] Dávalos, *op. cit.*, pág. 16.

[24] Toscano Mateus, págs. 99-100.

[25] *Ibid.*, pág. 99.

[26] *Ibid.*

[27] Entwistle, *op. cit.*, (arriba, nota 4), pág. 235. En su discusión sobre el influjo del quechua en el siglo XVI, Entwistle observa: "Most Southern American borrowings are... Quechua, even beyond the frontiers of that tongue; and, in fact, Spanish conquerors and

missionaries helped to give it a wider diffusion than it had under the Incas, as they also diffused Arawak and Carib words with such rapidity that they were later reported as indigenous in many different parts."

[28] Toscano Mateus, págs. 119-120.

[29] Algunos ejemplos dados por Dávalos, *op. cit.*, pág. 23, son:

Quechua	*Español*
mamaí	¡madre mía!
taitaí	¡padre mío!

Capítulo VIII

MORFOLOGÍA Y SINTAXIS EN EL ESPAÑOL ECUATORIANO

En la mayor parte de los países hispanoamericanos, el habla popular refleja muchos rasgos morfológicos y locuciones sintácticas que se
han desarrollado a través de los siglos. Así es que no extraña encontrar en la morfología y sintaxis del español en el Ecuador algunos
elementos regionales que son bastante distintos del castellano que se
habla en la Península Ibérica. Sin embargo. debe señalarse que en
muchos casos, las variaciones estructurales ecuatorianas que difieren
del castellano «culto» pueden ser también típicas de otras repúblicas
de habla española.

El desarrollo de la dialectología hispanoamericana ha reflejado, y
sigue reflejando, numerosos cambios, debido a la gran cantidad de
préstamos recíprocos. Sería tarea sumamente difícil la de identificar
con toda precisión el dialecto característico de un país hispanoamericano mediante ejemplos de elementos estructurales seleccionados de
una obra literaria. Por lo general, las divergencias morfológicas y
peculiaridades sintácticas son comunes a esas culturas de la misma
región geográfica. Por ejemplo, la morfología y sintaxis que se mani-
fiestan en el habla de dos naciones de la América Central, como
Honduras y Nicaragua, tienen un mayor grado de semejanzas entre
sí que el caso de México y la Argentina, ya que estos últimos países
están en dos diferentes hemisferios y se caracterizan por dos substratos indígenas completamente distintos. Por consiguiente, a pesar de
que gran parte del análisis que sigue tendrá su enfoque en varios
elementos estructurales del español ecuatoriano, y, sobre todo, en los

de la lengua popular de la Sierra, tal como aparece en la novela *Huasipungo* de Icaza, también caracterizará a veces el español que se habla en la América del Sur.

En el capítulo anterior, un análisis de varios casos obtenidos de los diálogos de *Huasipungo* ha mostrado amplias pruebas del gran influjo del quechua en la pronunciación del español en la Sierra ecuatoriana. En esta misma novela, Icaza nos ofrece testimonios más extensos de la presencia del quechua, a través de la representación artística de los rasgos indígenas que subsisten en la morfología y sintaxis del castellano serrano del Ecuador. Más adelante señalaremos que en muchos ejemplos, diversos elementos del quechua y del español se han combinado para la creación de nuevas formas híbridas. En otros casos, presentaremos una serie de locuciones sintácticas, las cuales tienen como modelo el idioma autóctono y han sobrevivido el paso de cuatro siglos.

MORFOLOGÍA

Una de las características más notables del castellano «culto» es el predominio de terminaciones diminutivas y aumentativas, las cuales se hallan en forma de sufijo del sustantivo. Este fenómeno morfológico ha tenido mayor difusión en el castellano de la América hispánica que en el habla «culta» de España. En muchos casos, estas terminaciones que se usan con frecuencia en el español del Ecuador se caracterizan por una variedad de matices que se desconocen tanto en España como en otras partes de Hispanoamérica. La mayor parte del siguiente análisis, pues, tratará de la representación gráfica de Icaza en cuanto a las terminaciones aumentativas y diminutivas, y, sobre todo, sus matices únicos, tales como se nos presentan en el diálogo y la narrativa de *Huasipungo*.

Aumentativos
-ada
Sustantivos formados de este sufijo generalmente se derivan de otras formas sustantivas.[1] El sufijo *-ada* da el sentido de un grupo colectivo.[2]

indiada (pág. 72)
peonada (pág. 155) [3]

-azo

Este sufijo se emplea también extensamente en España y en Hispanoamérica. Casos de su uso se incluyen aquí para dar testimonio de su frecuencia extraordinaria en *Huasipungo.* Ya que el sufijo *-azo* comúnmente denota una acción que se efectúa con cierta crudeza o brusquedad, su uso frecuente en *Huasipungo* contribuye mucho a la creación realista del mundo primitivo que nos pinta Icaza. Su significado principal y popular es: un golpe o una acción que se realiza de una manera violenta:[4]

> puertazo (pág. 5)
> manotazo (pág. 19)
> hachazo (pág. 46)
> puñetazo (pág. 74)
> latigazo (pág. 87)
> palazo (pág. 124)
> fuetazo (pág. 155)

-ajo

Este sufijo, que denota tamaño o calidad, se caracteriza por un significado despectivo:

> escupitajo (pág. 53)[5]

-ote

El sufijo *-ote* generalmente encierra un sentido derogatorio:[6]

> chagrote (pág. 38) (Viene de la palabra *chagra,* un peón ecuatoriano; basada en la forma quechua *chhacra*)

Diminutivos

El uso excesivo de los diminutivos es un rasgo característico del habla popular del Ecuador. Muchas veces, especialmente en la región andina de Quito, las terminaciones diminutivas se unen a varias formas gramaticales —sustantivos, pronombres, adjetivos, adverbios, verbos y preposiciones. En relación a este fenómeno, Humberto Toscano Mateus señala:

Si en una conversación entre quiteños faltan los diminutivos, casi puede asegurarse que se trata de una disputa. Un profesor ecuatoriano escribe lo siguiente: «En el Ecuador damos terminación diminutiva a toda clase de palabras, y aun a las especies ideales como Dios, virtud, cielo, etc.; lo cual se debe, en gran parte, a nuestra idiosincrasia lastimera y sentimental».[7]

Aunque en general el diminutivo se emplea para expresar la idea de pequeñez tanto en el español de la Península Ibérica como en el de la América hispánica, ocurre con mucha frecuencia en el habla serrana del Ecuador con el sentido de cariño e intimidad. Además de estos matices, el diminutivo que caracteriza el idioma del indio descrito en *Huasipungo* encierra el especial sentido regional de respeto cuando un peón habla con una persona de más alta posición social. En los ejemplos de *Huasipungo* que se dan a continuación, pueden verse los significados del diminutivo que acabamos de mencionar:

Un indio que habla con un sacerdote:

—Ave María (pág. 115).

Un indio que se dirige a un capitalista extranjero:

—Entonces... ¿Dúnde vamos pes a cainar am*itú*? (pág. 198).

En los tres fragmentos que siguen,[8] nótese el uso del diminutivo para expresar el afecto del indio por varias cosas de uso común, como *maíz, gallinas, conejos, cerdos* y *patatas,* las cuales son de mucha importancia para él en su lucha para sobrevivir.

«Cunshiii... Longa bruta... ¿Cómu has de dejar, pes, el huasipungo abandonadu?... Las gallin*itas,* el maic*itu,* las pap*itas...* Todu mismu... El perru sol*iticu* tan...» (pág. 114).

—¡Ayayay! Mis choch*litos,* sha.
—¡Ayayay! Mis cuic*itos,* sha.
—¡Ayayay! Mis trap*itos,* sha. (pág. 182).

—Ay bon*itica,* sha.
—¿Quién ha de cuidar, pes, puerqu*itus*?
—¿Pur qué te vas sin shevar cuic*itu*? (pág. 213).

-ito, -a

El sufijo *-ito, -a* es la terminación de mayor uso para formar diminutivos en el español de la Sierra ecuatoriana. En un caso singular, se emplea en *Huasipungo* con un gerundio (*corriendito*, pág. 61). Las formas gramaticales que asumen esta partícula morfológica en el español serrano lo hacen bajo condiciones únicas. Al contrario del uso en el castellano «culto», el cual prescribe que 1) palabras monosílabas que terminan en consonante, y 2) palabras bisílabas que tienen diptongo en la primera sílaba, deban añadir los sufijos *-ecito, -ecillo* para formar el diminutivo, estas mismas palabras se unen a *-ito, -ita* en el español de la Sierra:

> gruesitas (pág. 48)
> lueguito (pág. 52)
> Diosito (pág. 75)

-tico, -a

Un fenómeno morfológico interesante que es peculiar al habla del serrano ecuatoriano es el que muestra la combinación de los sufijos *-ito* e *-ico* para formar el doble diminutivo *-tico.*[9]

> solitica (pág. 32)
> toditicas (pág. 41)
> auritica (pág. 132)

Elementos morfológicos adicionales
-lla

El sufijo *-lla*, fonéticamente /ža/, un rasgo del idioma quechua, se emplea frecuentemente en el lenguaje de los indios andinos en la formación de diminutivos afectuosos:[10]

> —¡Ay! Mi guagua *sha.*
> —¡Ay! Mi taita *sha.*
> —¡Ay! Mi ashco *sha.* (pág. 120).

Así es que los indios de la Sierra emplean las formas *guagualla, taitalla* y *allcolla* como equivalentes por *hijito, papacito* y *perrito* —palabras de uso común en el español ecuatoriano corriente.

123

guagua

Este sustantivo, que significa «niño» en quechua,[11] es de uso general en la Sierra ecuatoriana para formar diminutivos.[12] Sin embargo, no se emplea como sufijo, sino que se usa como adjetivo independiente que precede al sustantivo que modifica: «—Esto ca, *guagua* pantano no más es.» (pág. 94).

Formas compuestas

Como veremos detalladamente más adelante, la lengua quechua se presta muy bien a la formación de numerosas palabras compuestas. No extraña encontrar en el habla rústica o vulgar de la Sierra varias formas híbridas, las cuales se han desarrollado de la combinación del idioma indígena y del español.

Probana (pág. 77). — Algo comestible que un vendedor le da gratis a un cliente. La palabra está compuesta de la terminación quechua -*na* y el verbo español *probar*.

Guagrasmanzanas (pág. 78). — Manzanas silvestres. El vocablo viene del quechua *huagra* (silvestre) y del castellano.[13]

Chapar (pág. 136). — Espiar. Viene del sustantivo quechua *chapa* (un espía) y de la terminación del infinitivo español -*r*.[14]

SINTAXIS

El voseo

Una de las peculiaridades más destacadas de la sintaxis del español que se habla en la Sierra ecuatoriana hoy día es el *voseo*.[15] El voseo, o sea el uso del tratamiento *vos* del español antiguo (en vez de *tú* o *usted*) con la segunda persona singular o la arcaica segunda persona plural del verbo, es un rasgo muy característico del habla popular en varias partes de la América hispánica. Aunque el voseo es un fenómeno bastante desconocido en el español peninsular, forma una parte integral del español hablado en la Argentina, el Uruguay, mucho del Paraguay, Guatemala, El Salvador, Honduras, Nicaragua, la mayor parte de Costa Rica, y en los estados mexicanos de Chiapas y

Tabasco.[16] En los cuadros del presente de indicativo y del imperativo que se dan a continuación, se puede ver inmediatamente que el voseo del español serrano ecuatoriano refleja varias semejanzas con las formas del voseo que caracterizan el castellano de la Argentina y de Chile.

Presente de Indicativo

Castellano corriente	Argentina	Chile	Sierra ecuatoriana
tú tomas	vos tomás	vos tomái(s)	vos tomás
tú comes	vos comés	vos comís	vos comís
tú vives	vos vivís	vos vivís	vos vivís

Imperativo

toma	tomá	toma	tomá
come	comé	come	comé
vive	viví	vive	viví

En *Huasipungo,* el voseo se encuentra en todo tratamiento empleado en el habla rústica de los serranos:

«Juana. *Vení,* aquí está el señor.» (pág. 26).

«*Andá* no más *vos.*» (pág. 31).

«*Tenís* qu'ir al monte…» (pág. 39).

«*Vos tenís* que quedarte aquí…» (pág. 52).

«*Ve, cogé* mi mula que está afuera y *andate* a la hacienda. *Decile* al Policarpio…» (pág. 67).

Es interesante observar que los indios de la Sierra en la novela *Huasipungo* vosean a todos, menos al latifundista, a quien sirven servilmente, y a toda persona blanca. Al dirigirse a estos miembros de la alta sociedad, el indio subordinado los trata de *su mercé,* expresión de mucho respeto. Casos típicos de este fenómeno, el cual ocurre muy frecuentemente en *Huasipungo,* son los siguientes:

«Juera de pagar *su mercé,* hay qui ver pur guarapu…» (pág. 116).

«Aura viniendo pes a ver cuantu di shivar pes *su mercé* por entierro.» (pág. 173).

El español de la Sierra ecuatoriana también posee otros rasgos sintácticos que se diferencian del castellano «culto» de la Península

Ibérica. Claro está que estas variantes se han desarrollado tanto del fuerte influjo del substrato quechua, como de los cambios semánticos paralelos dentro del español ecuatoriano a través de los siglos.

El artículo definido

En la actualidad, el castellano «culto» no admite el uso del artículo definido con los nombres propios de persona, a menos que estén modificados por adjetivo (por ejemplo, *el leve Pedro*). Sin embargo, en el habla familiar y vulgar de la Sierra ecuatoriana, el empleo del artículo definido con nombres propios *sin modificación* es muy común:

> *el* Andrés (pág. 13)
> *el* Tomás (pág. 151)
> *la* Cunshi (pág. 23)
> *la* Juana (pág. 92)

Dizque

A pesar de que *dizque,* forma apocopada del castellano antiguo por *dicen que* o *se dice que* se considera arcaísmo en España hoy día, todavía subsiste con mucha frecuencia en el Ecuador y en otras partes de la América hispana:[17]

«Pendejada, esto *dizque* va a ser pantano.» (pág. 93).

«El de l'india Encarnación tan *dizque* ha muerto así.» (pág. 149).

«*Dizque* son generosos.» (pág. 192).

En la novela *Huasipungo,* el uso de *dizque* se limita a los diálogos de tanto el cholo como el indio.

Acaso

La locución adverbial *acaso* ha adquirido el significado de una simple negación en el español de la región andina ecuatoriana.[18] Abundan muchos casos de este fenómeno en *Huasipungo:*

«Que's, pes. *Acaso* [no] hace mal.» (pág. 27).

«Elé, patrón, *acaso* [no] tiene a naides.» (pág. 32).

«*Acaso* [no] hacen nada.» (pág. 94).

A Punt'e

La locución *a punt'e (a punta de)* se halla en el español del Ecuador con el sentido de *a fuerza de* o *a poder de:*[19]

...enarbola el acial que parece una prolongación de la mano y, *a punte* [a fuerza de] fuetazo, hace girar el círculo en una maratón interminable. (pág. 97).

Ca (Ga)

Esta conjunción pospositiva, tomada directamente del idioma quechua, se emplea mucho en el lenguaje popular de la Sierra ecuatoriana. El sonido sonoro /ga/ es usado solamente por los indios, mientras que los cholos prefieren el sonido /ka/.[20] Esta partícula del substrato autóctono, la cual generalmente representa una conjunción en el habla rústica andina, a veces sirve para dar énfasis al elemento que la precede.

«Aquí *ca* guagua shurandu, shurandu.» (pág. 24).

«Si nu *ca,* quien ha di trabajar, pes.» (pág. 36).

«El mío *ga*... Vele pes... gordito está.» (pág. 36).

«¿Y nusutrus *ga*?» (pág. 37).

«Estu *ca* para taiticu'es. Vus *ca* ya's lamido la osha, que mas quirís.» (pág. 137).

«Este *ca* mi huasipungo es.» (pág. 197).

«Levantando *ga* a di murder.» (pág. 206).

Mismo

El adverbio *mismo (miso)* ha asumido unos peculiares matices semánticos en el español serrano del Ecuador. Tiene como función principal la de reforzar otro elemento gramatical, al cual modifica. En raras ocasiones, encierra el sentido de *siempre*.

«Yo *miso* sé a cuál shevar.» (pág. 37).

«Aura ca dibiendo *miso* estoy pes, y lu pite qui dió ca para guarapu *miso* está faltando.» (pág. 116).

«Yo siempre *mismo* tengo qu'irme.» (pág. 146).

Tan

El adverbio *tan*, empleado principalmente por el indio y el cholo de la Sierra ecuatoriana, en muchos casos equivale a *también*, o es sencillamente usado como partícula intensiva.[21]

«Las hijas del Julio y del Audón *tan*'an seguido el mismo camino de las mías.» (pág. 128).

«Y un sobrinito mío *tan*.» (pág. 149).

«—Guagua *tan* shorando está.» (pág. 171).

«—Cuando hambre *tan* con quien para shorar.» (pág. 171).

Cambios de tiempos verbales

Un número de tiempos verbales del castellano «culto» se usan de una manera poco convencional en el habla rústica de la Sierra.

Futuro por imperativo. — El uso del futuro para expresar el imperativo es muy característico del lenguaje vulgar del indio serrano:[22]

«...*darís* [da] al guagua la mazamorra cuando shore...» (pág. 33).
«...no te *meterás* [no te metás] en las cuevas...» (pág. 106).
«*Esperarís* [esperá] nu más.» (pág. 156).
«*Casharís* [callá], nu.» (pág. 162).

Pretérito perfecto por presente. — En una ocasión, el habla rústica de *Huasipungo* refleja el uso del pretérito perfecto donde el castellano corriente emplea el presente de indicativo: «Si '*as sido* [sois] bien maricón.» (pág. 147).

Presente de subjuntivo por imperfecto de subjuntivo. — Existe una fuerte tendencia en el español del Ecuador, tanto en la expresión ha-

128

blada como en la literaria, a sustituir el presente de subjuntivo en una cláusula dependiente cuando se debe emplear el imperfecto, de acuerdo con las reglas gramaticales.[23] En los diálogos de *Huasipungo,* este rasgo sintáctico aparece solamente en el habla del cholo. Sin embargo, hay que notar que la narrativa de Icaza, independiente de los diálogos, también se caracteriza por algunos ejemplos de este uso:

«No se acuerda su mercé mismo *dijo* que al marido le *mande* al monte.» (pág. 41).

El cura y el terrateniente sólo *esperaron* que la noche se *acabe* de tragar los últimos pasos... (pág. 67).

...*esperaba* que la bondad de taita curita le *haga* una pequeña rebaja, por eso *hizo* entrar a sus compañeros a la guarapería, para que *pongan* fuerzas y poder hablar con tan alto y divino personaje. (pág. 115).

El gerundio

Ya que solía usarse muy a menudo el gerundio en el idioma quechua, no extraña encontrarlo empleado frecuentemente por los indios y los cholos de la Sierra. Los casos del uso del gerundio abundan en la novela *Huasipungo,* lo cual es indicativo del influjo de la lengua autóctona en el español serrano del Ecuador.

«Aquí ca guagua *shurandu, shurandu.*» (pág. 24).
(En este caso, la repetición del gerundio —fenómeno característico del quechua— sirve para hacer más intensivo el significado.) [24]

«Ve, doñita, vení tomá, *te'de dar yapando.*» (pág. 77).
(Equivalente por *te daré la yapa.*)

«Lo que *ha de estar queriendo* es ayudar con buenos socorritos a los indios.» (pág. 133).
(Equivalente por *se querrá*)

«Ujalá taita Dios *ayudando.*» (pág. 156).
(Equivalente por *ayude.*)

«Este año ga, taita Diusitu *castigandu.*» (pág. 171).
(Equivalente por *castiga*)

En una ocasión, se emplea el gerundio para expresar el participio pasado del castellano «culto»: «"Parece que ya es varios días porque

129

apestando [apestado] está."» (pág. 152). En otra ocasión, la locución *dar* + gerundio se emplea para señalar una acción hecha por una persona en beneficio de otra: «"Que apenas coja me's de mandar algo dice en la carta que me *dió leyendo* [leyó] el vecino Ruata".» (página 151).

Del tratamiento ya presentado sobre los elementos morfológicos y sintácticos que caracterizan el español de la Sierra ecuatoriana, tal como se refleja en la novela *Huasipungo* de Jorge Icaza, es evidente que el español de la región andina muestra dos influencias principales. Por una parte, mucho de su naturaleza característica puede derivarse de la perpetuación de fenómenos lingüísticos presentes en el quechua, la lengua más destacada de la civilización incaica. Por otra parte, una gran porción de su variedad regional se debe al énfasis que le ha sido dado por la lengua de los conquistadores, quienes han desempeñado un papel importantísimo en la formación de la sociedad ecuatoriana a partir de la Conquista del siglo XVI.

NOTAS

[1] Tomás Navarro Tomás, *Cuestionario lingüístico hispanoamericano* (2.ª ed.; Buenos Aires: Instituto de Filología, Universidad de Buenos Aires, 1945), pág. 70.
[2] *Ibid.*
[3] Es interesante observar lo que la Real Academia Española ha definido por la palabra "peonada" en su *Diccionario de la lengua española* (Decimoctava edición; Madrid: Espasa-Calpe, 1956). Para los puristas españoles, una "peonada" es "una obra que un peón o jornalero hace en un día."
[4] Navarro Tomás, pág. 84.
[5] La Real Academia Española trae "escupidura" en lugar de esta forma despectiva.
[6] Humberto Toscano Mateus, *El español en el Ecuador* (Madrid: Consejo Superior de Investigaciones Científicas, Escelicer, 1953), pág. 421. En la discusión sobre la morfología y la sintaxis que sigue, ha sido nuestro guía constante este estudio excelente.
[7] *Ibid.*, págs. 424-425.
[8] Estos ejemplos, que reflejan unas variaciones pequeñas, pero significativas, de la edición original de *Huasipungo* (1934), han sido sacados de la edición más reciente de la novela, la cual aparece en el bello volumen, *Obras escogidas de Jorge Icaza* (México: Aguilar, 1961).
[9] Toscano Mateus, *op. cit.*, pág. 434.
[10] *Ibid.*, pág. 423.
[11] Charles E. Kany, autor del valioso estudio, *American-Spanish Semantics* (Berkeley and Los Ángeles: University of California Press, 1960), pág. 95, trae "guagua" como forma derivada del "Quechua onomatopoetic *huahua* «baby»."
[12] Toscano Mateus, págs. 422-423.
[13] *Ibid.*, pág. 459.
[14] Augusto Malaret, *Diccionario de americanismos* (Tercera edición; Buenos Aires: Emecé, 1946).
[15] Para nuestra discusión sobre el *voseo*, debemos mucho al capítulo comprensivo que trata este fenómeno en el libro de Kany, *American-Spanish Syntax* (Chicago: University of Chicago Press, 1945), págs. 55-91.
[16] *Ibid.*, págs. 57-58.

[17] Kany, *Syntax,* pág. 244.
[18] Toscano Mateus, pág. 336.
[19] *Ibid.,* pág. 347.
[20] Kany, *Syntax,* pág. 412.
[21] *Ibid.,* pág. 329.
[22] En cuanto a la sustitución de la forma verbal, Kany, *Syntax,* pág. 158, afirma: "The construction... is a   local retention of a good classical form, now archaic elsewhere."
[23] *Ibid.,* pág. 181.
[24] Toscano Mateus, págs. 275-276.

CAPÍTULO IX

EL QUECHUA Y EL VOCABULARIO
DEL ESPAÑOL ECUATORIANO

La contribución más importante de las lenguas indígenas al enriquecimiento del español que se habla en Hispanoamérica está en el vocabulario. A partir de la época de la Conquista, un gran número de vocablos que tienen su origen en las lenguas autóctonas han penetrado en el castellano hablado en la mayor parte de la América hispánica. Un interesante fenómeno que se da en los léxicos de los países de habla española hoy en día es la abundancia de vocablos que, en forma de préstamos, tienen referencia a la flora y fauna encontradas por los conquistadores del siglo XVI. Debido a que estos extraños y exóticos elementos les fueron desconocidos a los europeos, fue natural que los españoles en el Nuevo Mundo adoptaran los nombres indígenas sin modificarlos, y que los asimilaran directamente en el habla característica de las diferentes repúblicas hispanoamericanas.[1]

Ya hemos visto que con el comienzo del siglo XX una nueva «generación» de novelistas, dedicados a describir su medio ambiente regional mediante una representación realista de la lengua hablada, dio una nueva dirección a la literatura latinoamericana. Debido a su maestría técnica, han tenido mucho éxito en sus intentos de incorporar en sus obras realistas cierta variedad de términos indígenas, los cuales reflejan el vocabulario rico e híbrido del español de Hispanoamérica. Sin duda alguna, las obras maestras en prosa de los más destacados autores, tales como Mariano Azuela, Ciro Alegría, Rómulo Gallegos, Ricardo Güiraldes, José Eustasio Rivera y otros —las cuales contienen una serie de expresiones indígenas— le presentan adicionales problemas de comprensión al lector que no es nativo del español. Debido a esto, es muy común que el estudioso dedicado a la literatura hispanoamericana tenga a su lado como guía constante un diccionario de americanismos [2] para asegurarse una comprensión completa de la novela que está leyendo. Sin embargo, la solución no es tan fácil de llevar a cabo. A pesar de que muchos de los indigenismos y sus equivalentes significados españoles se encuentran en varios famosos diccionarios de americanismos, tales como los de Malaret y Santamaría, vocabularios especializados de este tipo no son siempre fácilmente asequibles. Este problema se agrava aún más cuando un número de los vocablos nativos del español que se habla en el Nuevo Mundo no se logran encontrar en estos diccionarios, ya que los estudios hechos hasta la fecha todavía están muy incompletos.

Las páginas de la novela *Huasipungo* de Jorge Icaza contienen una gran cantidad de palabras quechuas que forman una parte integral del vocabulario andino del español ecuatoriano. Debido a la abundancia de términos indígenas, la novela de Icaza, tanto como las obras de índole regional-realista de sus contemporáneos, presenta varios grados de dificultad, no solamente para el no-ecuatoriano, sino también para algunos hablantes nativos del español ecuatoriano. Por ejemplo, a pesar de que un ecuatoriano de la región andina que no habla quechua encontraría entre las palabras indígenas en *Huasipungo* muchas que forman parte de su propio vocabulario, es posible que él pueda encontrar algunas que no le son familiares.[3] Además, un problema más difícil de comprensión se le presenta al lector de la Costa ecuatoriana, cuya habla refleja muy poco influjo del substrato.

Ya que el estudio de la dialectología hispanoamericana representa un campo de investigación bastante nuevo, el cual se caracteriza por muchos cambios, los diccionarios de americanismos han tenido que ser puestos al día con mucha frecuencia. En las dos listas de vocablos que siguen —compuestas de ecuatorianismos (sobre todo, los de origen quechua) que se han tomado de *Huasipungo*— hemos utilizado varios vocabularios de americanismos ya publicados, y, al mismo tiempo, hemos consultado artículos y estudios que se han centrado en las peculiaridades léxicas del español de América.[4]

La mayor parte del primer grupo de vocablos y sus significados españoles han sido obtenidos de uno de los más comprensivos diccionarios quechua-español —*Diccionario kkéchuwa-español* [5]— editado por el sacerdote, el Padre Jorge A. Lira. Este léxico, que contiene completas transcripciones fonéticas, nos presenta un número de sonidos indígenas que son desconocidos a la lengua española. Los más destacados, que se expresan con los símbolos *kh, kk* y *ph,* son descritos por el Padre Lira de la manera siguiente: [6]

> *kh* — oclusiva palatal aspirada sorda
> *kk* — oclusiva velar o glotal sorda
> *ph* — oclusiva labial aspirada sorda, como en griego

En la mayor parte de los casos, adjunto a las palabras tomadas de la novela, hemos incluido los vocablos quechuas dados por el Padre Lira. En el caso de formas compuestas, hemos dado ambos componentes.

La segunda lista, intitulada «Ecuatorianismos y americanismos», que contiene palabras usadas tanto en el Ecuador como en otros países sudamericanos, se ha formado de las siguientes fuentes: *Diccionario de Americanismos* de Augusto Malaret, *Diccionario general de Americanismos* de Francisco J. Santamaría, y *El español en el Ecuador* de Humberto Toscano Mateus.

Quechuismos en Huasipungo

Anaco *(anaku)* - pág. 77. — Manta o capa de señora.

Arí - pág. 162. — Adv. a.: Sí, así es, es verdad, cierto, realmente. *Arí ka:* sí, toma; ahí tinees y recibe.

Ashco *(alkkho)* - pág. 171. — Perro, mastín.

Ca, ga *(kka)* - pág. 36. — Esta partícula postpositiva equivale o significa: pero, empero, mas, cuando, como, antes, si, antes no, aunque, ya que. *Kkan mikhuy,* ama *nokka-kka:* como tú (empero, pero, etc.) mas no yo.

Carishina *(kari + schina)* - pág. 106. — De *kari* (varón), *schina* (como). Mujer inhábil en los oficios y labores propios de su sexo.

Cocha *(kkócha)* - pág. 106. — Lago, laguna. Estanque de agua. También charco. Plato hondo de tamaño mayor en el que se sirven porciones de chicha.

Cucayo *(kokau)* - pág. 45. — provisiones para el viaje.

Cuchipapa *(khúchi + papa)* - pág. 17. — De *khúchi* (cerdo, chancho, puerco, cochino); *pápa* (patata, tubérculo farináceo ya común en el mundo).

Cui *(kouy)* - pág. 98. — Conejillo de Indias. En Chile y en el Perú se dice *cuy* que es la pronunciación etimológica. Allá es invariable para el femenino: un *cuy,* una *cuy;* acá no: un *cui,* una *cuia.*

Chachi - pág. 137. — Rigor, severidad, estrictez. Severo, estricto, austero, rígido. *Chachi kamachikukk:* autoridad severa; *Chachi kamachiy:* mandar u ordenar con rigor; *Chachi runa:* hombre austero.

Chacra *(chahra)* - pág. 39. — Tierra o terreno labrantío, porción de haza para el sembrío. Lugar sembrado. Hacienda, predio rústico, estancia, finca. Parcela de terreno determinado.

Chacracama *(chahra + kamakk)* - pág. 39. — De *chahra* (lugar sembrado, heredad); *kamakk* (creador, hacedor, generador, plasmador, auspiciador). La palabra quiere decir: guardador de sementeras.

Chagra *(chhacra)* - pág. 91. — Campesino de la República del Ecuador.

Chapa - pág. 146. — Espía, agente de observación disimulada.

Chapar (de *chapa)* - pág. 136. — Acechar, atisbar [la terminación es española].

Chapo *(chapu)* - pág. 79. — Chapuzón, metida brusca en agua, metida rápida de la mano, de la cabeza, la mano o los pies, sopada, ensopada.

Chaquiñán *(chaki + ñán)* - pág. 22. — De *chaki* (pie, parte del cuerpo desde el tobillo hasta la planta, que sirve al hombre y a los animales para sostenerse y caminar); *ñán* (camino, vía, trayecto, sendero, pasaje, trocha, por donde uno anda o viaja como medio de comunicación).

Choclo *(chókkllo)* - pág. 165. — Maíz verde en mazorca y sin desgranar, elote, jotote. *Chokkllo wayk'u:* elote hervido, choclo cocinado.

Chulco *(chullku)* - pág. 78. — bulbos o raicillas parecidas a las cebollas menudas y blancas, que suelen comerse en ensaladas o picantes. Crecen espontáneas entre los sembrados.

Chumarse (de *chumayay*) - pág. 60. — Desabrirse, desazonarse, ponerse insípido o soso.

Guagua *(wáwa)* - pág. 17. — Criatura, infante o párvulo de pechos. *Sápan wáwa:* único hijo, hijo o prole único; *Wáwa sápa:* madre llena de hijos. Usado también como adjetivo familiar: tierno, blando o flexible. *Wáwa áycha:* carne tierna.

Guañucta *(wanukk)* - pág. 159. — Mortal, que puede morir, sujeto a muerte. *Wanukkta yanapay:* ayudar al que expira o muere. También, en habla de indios, significa «mucho».

Guarapería (de *warapu* o *warapo)* - pág. 114. — Lugar donde se fabrica o vende el guarapo. [La terminación es española].

Guarapo *(warapu* o *warapo)* - pág. 95. — Caldo ácido de la fruta hervida. Caldo de la caña de azúcar ligeramente fermentada.

Huasca *(waskha)* - pág. 100. — Soga, lazo, cable, cuerda utilizada para liar.

Huasicama *(wássi + kámakk)* - pág. 9. — De *wássi* (casa, aposento, habitación, vivienda, edificio, hogar); *kámakk* (creador, hacedor, plasmador, modelador, auspiciador.

Huasipungo *(wássi + púnku)* - pág. 9. — De *wássi* (casa, aposento, hogar); *púnku* (portero, indígena semanero de servicio gratuito instituido por los españoles. El *pongo,* en algunos pueblos del Perú sigue en calidad de esclavo de muchos señores afincados, y viene a ser un ilota irredento sobre todas las legislaciones nominales en favor del indio.

Huasquero (de *waskha)* - pág. 100. — Persona que maneja la *huasca.* [La terminación es española].

Locro *(rokkhro)* - pág. 17. — Guiso de carne con choclos, zapallos, patatas, ají, etc. Pepián.

Minga *(minka)* - pág. 14. — Alquiler, alquilamiento. Acción de alquilar. Sistema de trabajo o cumplimiento de obligación por sustitución, a base de acuerdo antelado: facio ut facias. Es un contrato por el que se paga el trabajo con otro trabajo.

Minguero (de *mink)* - pág. 82. — El que trabaja en una *minga.* [La terminación es española].

Mishcar (de *melkkhay)* - pág. 159. — Acción de poner o de echar algo al enfaldo. Enfaldar, recoger o echar algo en las faldas, tomar una cantidad en el ámbito de la falda.

Morocho *(murúchu)* - pág. 61. — Grano duro de maíz.

Ñucanchic *(ñokkanchis)* - pág. 203. — Pronombre personal de primera persona plural de forma incluyente: nosotros, nosotras. Nos. *Manan ñokkanchispachu:* no es de nosotros, no es nuestro.

Pinguillo *(pinkuyllu)* - pág. 170. — Pífano, flautín, flauta. Instrumento de viento que lleva contralto, fabricado a imitación del pífano, excepto la quena.

Pishco *(piskko)* - pág. 90. — Pájaro común.

Pite *(piti)* - pág. 84. — Un poquito, una partícula, una porcioncilla. Trozo. Pedazo.

Pucunero o fucunero (de *phukuy*) - pág. 68. — Soplo, soplido, sopladura, acción de soplar y su efecto. Soplar, arrojar aire con violencia con la boca o con un fuelle. El *pucunero* es una especie de tubo de madera o caña con que se atiza el fuego, soplando por él. [La terminación es española].

Pupo *(pupu)* - pág. 49. — Ombligo, cicatriz central en el vientre después de secarse el cordón umbilical.

Pusún *(phúsnu, phússu* y *phússun)* - pág. 20. — Panza, la primera cavidad del estómago de los rumiantes.

Shacta *(llakkta)* - pág. 65. — Pueblo, país, lugar donde uno nació. Nación, ciudad, patria.

Soroche *(surúchi)* - pág. 90. — Malestar grave de la cordillera, opresión del corazón y asfixia acompañado de otros síntomas que suele sobrevenir a los que trasmontan las altas montañas andinas.

Yapar (de *yapa*) - pág. 77. — Aumento, acrecentamiento de una cosa: Añadidura, lo que se añade o agrega. Apéndice, cosa adjunta o añadida a otra. Repetición, acto de hacer, decir, reproducir la misma cosa. Vendaje, adehela, lo que el vendedor da y el comprador recibe por gracia o gratis. [La terminación es española].

Ecuatorianismos y Americanismos

Achachay - pág. 88. — Interjección que expresa la sensación de frío. (Santamaría)

Arrarray - pág. 163. — Interjección que expresa escozor, ardor, comezón... (Santamaría)

Balde - pág. 92. — Cubo de madera, o de metal, por lo común, en forma de cono truncado, con asa en la circunferencia mayor, que es la de la boca. (Santamaría).

Canelazo - pág. 60. — Bebida caliente que se hace con agua, canela, azúcar y aguardiente. (Toscano Mateus)

Cangagua - pág. 181. — En el Ecuador y Colombia, toba fina, de origen volcánico, que en Quito se utiliza para hacer adobes. (Santamaría)

Careo - pág. 110. — Acción de confrontar los gallos de pelea. (Santamaría)

Carrizo - pág. 193. — Pierna delgada de una persona. (Malaret)

Conchabando - pág. 110. — Asalariando, dando acomodo a un peón o sirviente, contratar a alguno para un servicio, generalmente inferior y de orden doméstico. (Santamaría)

Coteja - pág. 107. — En el Ecuador, animal equivalente al del que se le presenta como contrario en una pelea, riña o apuesta. (Santamaría)

Cotona - pág. 155. — Blusa o chaqueta de algodón que usan los trabajadores y campesinos. (Santamaría)

Culear - pág. 83. — Tener cópula carnal hombre y mujer. (Santamaría)

Chagrillo - pág. 76. — Pétalos deshojados de rosas y otras flores que se usan en las fiestas religiosas. Parece venir del quichua *chacruna* o *chagruna* «mezclar cosas diversas». (Toscano Mateus)

Chicha - pág. 59. — Una bebida alcohólica resultante de la fermentación del maíz en agua azucarada. Úsase principalmente en Perú y Chile. Hácese también con jugo fermentado de uva, de manzana, etc. (Santamaría)

Cholo - pág. 18. — El plebeyo de las poblaciones, gente de sangre mezclada, mestizo de europeo e india. (Malaret)

Chuco - pág. 149. — Pecho, teta. (Santamaría)

Elaqui - pág. 61. — Interjección con el significado de ¡*hele aquí*! (Toscano Mateus)

Elé - pág. 32. — Ecuatorianismo que figura en primera línea, ya que su uso es cotidiano en el lenguaje familiar. Usada como voz oxítona o aguda, es decir, con la vocal tónica final, es interjección o adverbio; equivale a la famosa exclamación ¡*Eureka!*, esto es, «aquí está, ya lo encontré, tome usted», etc., según los casos. (Santamaría)

Escalofriar - pág. 146. — Causar escalofrío, en el sentido de sensación de horror que eriza los cabellos. (Santamaría)

Estanco - pág. 18. — En el Ecuador, tienda donde se vende aguardiente. (Santamaría)

Garúa - pág. 25. — Llovizna. (Santamaría)

Guagramanzana - pág. 78. — Híbrido del quichua *(huagra)* y del español *(manzana)*: Manzana silvestre. (Toscano Mateus)

Hambruna - pág. 192. — Hambre extremada o carencia extraordinaria de productos alimenticios que soporta el país o una región por malas cosechas, guerras, erupciones volcánicas, etc. (Toscano Mateus)

Huambra - pág. 106. — Muchacho indio o mestizo. (Toscano Mateus)

Liencillo - pág. 13. — En el Ecuador, tela ordinaria de algodón parecida al ruán, pero de calidad inferior. (Malaret)

Longo - pág. 106. — En Ecuador, indio niño o adolescente. (Santamaría)

Macana - pág. 77. — En el Ecuador, especie de manteleta o chal que usan las mujeres para cobijarse dentro de la casa. (Malaret)

Mashca - pág. 33. — Harina fina de cebada. (Santamaría)

Mazamorra - pág. 33. — Mezcla que proviene de la incorporación de un líquido con una sustancia pulverizada, de suerte que resulta un líquido espeso, o una masa aguada, semejante al engrudo. (Santamaría)

Mortecina - pág. 157. — Para el Diccionario es adjetivo. En el Ecuador sólo se emplea como sustantivo equivalente a «carne mortecina». (Toscano Mateus)

Papilla - pág. 166. — Dulce exquisito que se hace de batatas con huevos batidos y otros ingredientes. (Santamaría)

Páramo - pág. 60. — Principalmente en el Ecuador, llovizna, temporal de nieve y viento frío. (Santamaría)

Penco - pág. 24. — Hoja de maguey o de cabuya, que los indios hacen servir a manera de teja para cubrir sus barracas. (Santamaría)

Perchero - pág. 7. — Percha, aparato para colgar ropa, sombreros, bastones, etc. (Santamaría)

Pondo - pág. 120. — En el Ecuador, pocillo o tinaja, de barro para poner agua o para guardar granos. (Santamaría)

Prioste - pág. 64. — En el Ecuador, persona que pide, o acepta, el cargo de costear una fiesta religiosa. (Santamaría)

Probana - pág. 77. — Pequeño obsequio de algo comestible que hace el vendedor a los compradores. (La forma es la terminación quichua -na dada al verbo *probar*). (Toscano Mateus)

Roscón - pág. 72. — Apodo que se da a los indios. (Toscano Mateus)

Tachuela - pág. 209. — Vasija de metal, plata principalmente, que se tiene en el tinajero para sacar el agua de la tinaja; por lo común, con picos en los bordes para que no se beba en ella. (Santamaría)

Taita - pág. 19. — Valor popular de sinónimo de padre de familia tiene en general el vocablo, principalmente en el Ecuador. Pero, con ello y todo, es siempre de uso solamente vulgar entre indios, campesinos y gente del pueblo. (Santamaría)

Totora - pág. 93. — Especie de enea que se cría en terrenos húmedos o pantanosos de la América Meridional; muy parecida a la espadaña, estoposa, útil en la fabricación de aparejos y aun para techos de casas rústicas y otros usos. (Santamaría)

Tusas - pág. 154. — Zuros de las mazorcas de maíz, olote, carozo, bacal, raspa. (Santamaría)

Vera - pág. 18. — Arbol de la familia de las cigofíleas, semejante al guayaco, muy corpulento, con madera de color rojizo oscuro, y casi tan dura y pesada como el hierro; famoso por sus grandes propiedades medicinales como sudorífico; abundante en la costa septentrional de Sur América. (Santamaría)

Veta - pág. 101. — En el Ecuador, la soga de lazar ganado, hecha de la piel de la res vacuna, cortada en una tira continua, retorcida y curada con sebo. (Santamaría)

Zamba - pág. 120. — Dícese de la hija de negro e india, o de indio y negra, seguramente por la comunidad de ciertos caracteres con el mono del mismo nombre. (Santamaría)

A lo largo de este capítulo, hemos analizado adicional material para justificar el influjo profundo de la lengua quechua sobre el español de la Sierra ecuatoriana. Al presentar numerosos vocablos que consisten en palabras sacadas de la novela *Huasipungo* de Jorge Icaza, hemos visto que los préstamos del quechua han sido nombres autóctonos de plantas y animales, tanto como palabras asociadas con ciertos elementos no-materiales de la cultura de los incas, tales como costumbres, tradiciones, supersticiones y ritos religiosos. Por fin, un análisis de varios ecuatorianismos y americanismos que existen fuera de la influencia incaica también nos ha servido para dar un cuadro más completo de la naturaleza peculiar del español ecuatoriano en general.

NOTAS

[1] Rafael Lapesa, *Historia de la lengua española* (Tercera edición corregida y aumentada; Madrid: Escelicer, 1955), pág. 331.

[2] Han sido muy valiosos para el presente estudio los siguientes diccionarios de americanismos: Augusto Malaret, *Diccionario de Americanismos* (Tercera edición; Buenos Aires: Emecé, 1946) y Francisco Santamaría, *Diccionario general de Americanismos, neologismos y barbarismos* (México: Editorial P. Robredo, 1942).

[3] Gardiner H. London, "Quichua Words in Icaza's *Huasipungo*", *Hispania*, XXXV (1952), 96.

[4] Además de los diccionarios que hemos mencionado arriba, han sido útiles también tanto el trabajo de London (nota 3) como el de Margaret M. Ramos, "The Problem of Andean Vocabulary", *Hispania*, XXXII (1949), 478-483.

[5] Jorge A. Lira, *Diccionario kkéchuwa-español* (Tucumán, Argentina: Universidad Nacional de Tucumán, 1944).

[6] *Ibid.*, pág. 20.

CONCLUSIÓN

El estudio que precede ha sido un intento de examinar la situación socio-económica y la lengua del indio y del cholo de la Sierra ecuatoriana a través de las novelas contemporáneas de Jorge Icaza. Nuestro escritor, novelista social del Grupo de Quito, ha ganado fama internacional como el novelista indigenista más representativo de Hispanoamérica y se le considera como el «Defensor del indio ecuatoriano». Por medio de la descripción realista, y, a veces, naturalista de las condiciones sórdidas que caracterizan las clases bajas de su país, Icaza le ofrece a su lector una maravillosa oportunidad para que se familiarice con la injusta estructura social de la sociedad ecuatoriana contemporánea.

En la Primera Parte, relacionada con la situación psico-social del indio y del cholo ecuatorianos, nos hemos familiarizado íntimamente con los múltiples problemas de las masas explotadas que viven en la Sierra ecuatoriana —seres infelices, cuya posición social ha mejorado muy poco desde la Conquista del siglo XVI. En *Huasipungo* y *Huairapamushcas,* se nos presentó un cuadro extremadamente realista del mundo primitivo del indio andino —un mundo lleno de terror y de creencias supersticiosas formado por dos culturas distintas, la una indígena y pagana, y la otra española y cristiana. Es un mundo inmerso en desesperación y desilusión, resultante de la explotación constante del indio por un malvado triunvirato de terrateniente, jefe político y clérigo avaro. Además de la tesis social que es de suma importancia en estas novelas, las imágenes de Icaza —sobre todo, las relacionadas con la existencia miserable del indio— reflejan gran maestría. En la novela *En las calles,* el medio ambiente cambia del primitivismo del campo a las calles de Quito. Pero la explotación humana del indio y del cholo por el latifundista y el cura sigue siendo el tema principal de Icaza. Teniendo como telón de fondo el medio urbano de la capital ecuatoriana, nuestro novelista nos presenta la tragedia del indio y del cholo en bajo relieve en sus ciegas y trágicas luchas intrarraciales y fratricidas, las cuales benefician los intereses creados de egoístas e inhumanos demagogos. Por fin, la trilogía de novelas —*Cholos, Media vida deslumbrados* y *El chulla Romero y Flores*— pinta de modo dramático los problemas psico-sociales heredados por el cholo desde su nacimiento. Por medio de la caracterización de sus atormentados protagonistas, sobre todo Luis Alfonso Romero y Flores, Icaza muestra mucha destreza artística al desnudar la angustiada psicología de sus personajes. Y el ya implícito mensaje moral, contenido en sus primeras novelas, se agiganta a medida que aumentan sus obras: es la responsabilidad de la clase hacendada y privilegiada la de modificar sus prejuicios socio-raciales, y de lograr que las masas indígenas y cholas adquieran una activa participación social.

La Segunda Parte, dedicada a un análisis del lenguaje del indio y del cholo tal como aparece en la novela *Huasipungo* de Icaza, sobre todo en los diálogos, nos ha dado prueba suficiente de la habilidad del autor como novelista. Por medio del uso artístico del idioma en *Huasipungo*, Icaza ha pintado efectivamente el habla popular del indio y del cholo de la Sierra ecuatoriana, y, al mismo tiempo, ha producido un estudio representativo de la dialectología hispanoamericana. Al usar las tres categorías principales que se utilizan comúnmente en el análisis lingüístico —fonología, morfología y sintaxis— hemos descrito la naturaleza peculiar del español de la Sierra ecuatoriana, y hemos dado numerosos elementos sacados de la novela *Huasipungo* como ejemplos típicos de distintos fenómenos regionales. Hemos visto que el influjo más fuerte sobre el español popular y rústico del indio y del cholo que habitan la Sierra es el del substrato quechua, la lengua de los incas. En términos fonológicos, hay una fuerte tendencia entre los indios serranos a convertir las vocales /e/ y /o/ a /i/-/u/, respectivamente, porque las dos primeras vocales son desconocidas al idioma quechua en el Ecuador. Otro destacado rasgo fonológico del español ecuatoriano de la región andina es la pronunciación de la palatal lateral sonora *ll* del castellano «culto» como palatal fricativa sonora /ž/. El habla popular de esta región geográfica también se caracteriza por un número de elementos morfológicos y sintácticos que se han desarrollado o del quechua o a través de cambios internos dentro del castellano mismo. En cuestiones de morfología, los sufijos aumentativos y diminutivos tales como -*ada, -azo, -ote, -ito, -tico,* que llevan frecuentemente especiales matices regionales, reflejan uso excesivo, mientras que dos populares partículas quechuas que se usan para formar diminutivos —el sufijo -*lla* /ža/ y el prefijo *guagua*— continúan existentes a pesar de haber pasado cuatro siglos. En algunos casos, formas compuestas de sustantivos y verbos se han formado de elementos tanto del español como del quechua *(chapar, probaña, guagrasmanzanas).* Desde el punto de vista de sintaxis, no hay la menor duda que la característica más interesante del español de la Sierra es el uso del *voseo* en tratamiento familiar. Además, existen varios localismos tales como *dizque, acaso* y *tan,* así como la conjunción pospositiva *ca (ga),* que han sido prestados directamente del idioma quechua, y que dan cierto carácter propio al español de la Sierra ecuatoriana. La influencia más poderosa del quechua sobre el castellano que se habla en la región andina del Ecuador ha sido en materia de vocabulario. Muchas palabras quechuas como *chapa, chagra, chacracama,* guarapo, huasipungo, y otras han sido asimiladas directamente en el español rústico de la sierra ecuatoriana.

En conclusión, todos los elementos ya mencionados —sociológicos, artísticos y lingüísticos— demuestran claramente la habilidad del novelista ecuatoriano Jorge Icaza de describir e interpretar las masas indígenas y cholas de su país. Las novelas de Icaza, muy típicas del género en su Ecuador nativo, lo mismo que en otras repúblicas hispanoamericanas, son cuadros íntimos de la sociedad del siglo xx en la cual él vive. En la actualidad, la novelística de la América hispánica ha transcendido sus fronteras nacionalistas para captar la problemática humana en su conjunto universal. Dentro de este panorama, la obra novelesca de Icaza centra su interés en esa dialéctica social que ya hemos estudiado extensamente. Quisiéramos destacar, sin embargo, que la obra de nuestro novelista se extiende a partir de la tesis social de *Huasipungo* hasta alcanzar, en los últimos años, el planteamiento de problemas universales: todo ello acompañado de una superación técnica. Al fin y al cabo, las novelas de Jorge Icaza, dramáticos documentos sociales, representan hoy la más clara prueba de la responsabilidad del escritor hispanoamericano frente a las múltiples situaciones que él interpreta.

BIBLIOGRAFÍA

I. Novelas de Jorge Icaza

Se dan a continuación las novelas por orden cronológico de la primera edición:

Huasipungo. Quito: Imprenta Nacional, 1934.
En las calles. Quito: Imprenta Nacional, 1935.
Cholos. Quito: Litografía e Imprenta Romero, 1938.
Media vida deslumbrados. Quito: Editorial Quito, 1942.
Huairapamushcas. Quito: Casa de la Cultura Ecuatoriana, 1948.
El chulla Romero y Flores. Quito: Casa de la Cultura Ecuatoriana, 1958.

II. Diccionarios y vocabularios especializados

Bayo, Ciro. *Manual del lenguaje criollo de Centro y Sudamérica.* Madrid: Imprenta Caro Raggio, 1931.
Cordero, Luis. *Diccionario quichua-español, español-quichua.* Quito: Casa de la Cultura Ecuatoriana, 1955.
Corominas, Joan. *Diccionario crítico etimológico de la lengua castellana.* 4 volúmenes. Bern: Editorial Francke, 1954.
Grigórieff, Sergio. *Compendio del idioma quichua.* Buenos Aires: Editorial Claridad, 1935.
Lira, Jorge A. *Diccionario kkéchuwa-español.* Tucumán, Argentina: Universidad Nacional, 1944.
Malaret, Augusto. *Diccionario de americanismos.* 3.ª edición. Buenos Aires: Emecé, 1946.
Santamaría, Francisco J. *Diccionario general de americanismos.* 3 vols. México: Pedro Robredo, 1942.
Saubidet, Tito. *Vocabulario y refranero criollo.* 3.ª ed. Buenos Aires: Guillermo Kraft Ltda., 1948.
Tascón, Leonardo. *Quechuismos usados en Colombia.* Bogotá: Editorial Santafé, 1934.

III. Obras generales

Adams, Richard N. *et al. Social Change in Latin America Today.* Nueva York: Alfred A. Knopf, 1961.

Alegría, Fernando. *Breve historia de la novela hispanoamericana*. México: Manuales Studium, 1959.

Alonso, Amado. *Estudios lingüísticos; temas hispanoamericanos*. Madrid: Editorial Gredos, 1953.

Anderson Imbert, Enrique. *Historia de la literatura hispanoamericana*. Vol. II: *Época contemporánea*. 3.ª ed. México: Fondo de Cultura Económica, 1961.

Angel del Pozo, Miguel. *El problema social en el Ecuador*. Quito: Editorial Universitaria, 1958.

Arias, Augusto. *Panorama de la literatura ecuatoriana*. 4.ª ed. Quito: Editorial Lasalle, 1961.

Arias-Larreta, Abraham. *Literaturas aborígenes*. Los Ángeles: The New World Library, 1962.

——. *Pre-Columbian Literatures*. Los Ángeles: The New World Library, 1964.

Azuela, Mariano. *Los de abajo*. 3.ª ed. Botas. México: Ediciones Botas, 1949.

Barbagelata, Hugo D. *La novela y el cuento en Hispanoamérica*. Montevideo: Enrique Miguez, 1947.

Barrera, Isaac J. *Historia de la literatura ecuatoriana*. Quito: Casa de la Cultura Ecuatoriana, 1960.

——. *La literatura del Ecuador*. Buenos Aires: Universidad Nacional. 1947.

Baudin, Louis. *A Socialist Empire: The Incas of Peru*. Trad. de Katherine Woods. Princeton, N. J.: D. Van Nostrand Co., Inc., 1961

Canfield, Delos Lincoln. *La pronunciación del español en América*. Bogotá: Publicaciones del Instituto Caro y Cuervo, 1962.

Carrión, Benjamín. *El nuevo relato ecuatoriano*. Quito: Casa de la Cultura Ecuatoriana, 1950.

Castro, Américo. *Iberoamérica*. Ed. revisada. Nueva York: The Dryden Press, 1946.

Comas, Juan. *Ensayos sobre indigenismo*. México: Instituto Indigenista Interamericano, 1953.

Crow, John A. *The Epic of Latin America*. Garden City, Nueva York: Doubleday & Co., Inc., 1948.

Cuervo, Rufino José. *El castellano en América*. 3.ª ed. Bogotá: Editorial Minerva, 1935.

Chang-Rodríguez, Eugenio y Kantor, Harry. *La América Latina de hoy*. Nueva York: The Ronald Press, 1961.

Dávalos, Juan Benjamín. *Gramática elemental de la lengua quechua*. Lima: Imprenta Librería Ariel, 1938.

Elson, Benjamin Franklin. *Studies in Ecuadorian Indian Languages*. Norman, Oklahoma: Summer Institute of the University of Oklahoma, 1962.

Englekirk, John E., et al. *An Outline History of Spanish American Literature*. 3.ª ed. Nueva York: Appleton-Century-Crofts, 1965.

Entwistle, William J. *The Spanish Language*. London: Faber & Faber, 1951.

Farfán, José M. B. *Quechuismos; su ubicación y reconstrucción etimológica*. (Sobretiro de la *Revista del Museo Nacional*, tomos XXVI, XXVII, XXVIII) Lima: Imprenta del Museo Nacional, 1957.

148

Ferrándiz Alborz, Francisco. *El novelista hispanoamericano Jorge Icaza*. Quito: Editora Quito, 1961.

Garro, J. Eugenio. *Jorge Icaza: vida y obra*. Nueva York: Hispanic Institute in the United States, 1947.

Giberti, Eva. *El complejo de Edipo en la literatura: «Cachorros», cuento de Jorge Icaza*. Quito: Casa de la Cultura Ecuatoriana, 1964.

Gómez-Gil, Orlando. *Historia crítica de la literatura hispanoamericana*. Nueva York: Holt, Rinehart and Winston, 1968.

González Peña, Carlos. *Historia de la literatura mexicana*. 8.ª ed. México: Editorial Porrúa, 1963.

Hamilton, Carlos. *Historia de la literatura hispanoamericana*. Vol. II: *Siglo XX*. Nueva York: Las Américas Publishing Co., 1961.

Henríquez-Ureña, Pedro. *Historia de la cultura en la América hispánica*. 7.ª ed. (Colección Popular). México: Fondo de Cultura Económica, 1964.

——. *Literary Currents in Hispanic America*. Cambridge, Mass.: Harvard University Press, 1949.

——. *Para la historia de los indigenismos*. Buenos Aires: Imprenta de la Universidad de Buenos Aires, 1938.

James, Preston E. *Latin America*. Nueva York: The Odyssey Press, 1942.

Jaramillo Alvarado, Pío. *El indio ecuatoriano*. 4.ª ed. Quito: Casa de la Cultura Ecuatoriana, 1954.

Kany, Charles E. *American-Spanish Euphemisms*. Berkeley: University of California Press, 1960.

——. *American-Spanish Semantics*. Berkeley and Los Ángeles: University of California Press, 1960.

——. *American-Spanish Syntax*. Chicago: University of Chicago Press, 1945.

Lapesa, Rafael. *Historia de la lengua española*. 3.ª ed. corregida y aumentada. Madrid: Escelicer, 1955.

Larreta, Enrique. *La gloria de don Ramiro*. 3.ª ed. Buenos Aires: Editorial Sopena Argentina, 1955.

Linke, Lilo. *Ecuador*. London: The Royal Institute of International Affairs, 1954.

Madariaga, Salvador de. *The Rise of the Spanish American Empire*. Nueva York: Macmillan, 1947.

Mata, Gonzalo Humberto. *Memoria para Jorge Icaza*. Cuenca, Ecuador: Cenit, 1964.

Mateus, Alejandro. *Riqueza de la lengua castellana y provincialismos ecuatorianos*. 2.ª ed. Quito: Editorial Ecuatoriana, 1933.

Meléndez, Concha. *La novela indianista en Hispanoamérica*. 2.ª ed. Río Piedras: Universidad de Puerto Rico, 1961.

Modesto Paredes, Angel. *Problemas etnológicos indoamericanos*. Quito: Casa de la Cultura Ecuatoriana, 1947.

Monguió, Luis. *Estudios sobre literatura hispanoamericana y española*. (Colección Studium) México: Ediciones de Andrea, 1958.

Montalvo, Juan. *El espectador*. París: Casa Editorial Garnier Hermanos, 1927.

149

Navarro Tomás, Tomás. *Cuestionario lingüístico hispanoamericano.* 2.ª edición. Buenos Aires: Instituto de Filología, Universidad de Buenos Aires, 1945.

———. *Estudios de fonología española.* Syracuse, N. Y.: Syracuse University Press, 1946.

———. *Manual de pronunciación española.* 4.ª ed. Nueva York: Hafner Publishing Co., Inc., 1950.

Núñez del Prado, José Antonio. *Elementos de gramática incana o quechua.* Cuzco: Editorial Garcilaso, 1960.

Ojeda, Enrique. *Cuatro obras de Jorge Icaza.* Quito: Casa de la Cultura Ecuatoriana, 1961.

Ribadeneira, M. *La moderna novela ecuatoriana.* Quito: Casa de la Cultura Ecuatoriana, 1958.

Rojas, Angel F. *La novela ecuatoriana.* México: Fondo de Cultura Económica, 1948.

Sáenz, Moisés. *Sobre el indio ecuatoriano y su incorporación al medio nacional.* México: Publicaciones de la Secretaría de Educación Pública, 1933.

Sánchez, Luis Alberto. *América, novela sin novelistas.* 2.ª ed. Santiago de Chile: Ediciones Ercilla, 1940.

———. *Nueva historia de la literatura americana.* 5.ª ed. Asunción, Paraguay: Editorial Guaranía, 1950.

———. *Proceso y contenido de la novela hispanoamericana.* (Biblioteca Románica Hispánica) Madrid: Editorial Gredos, 1953.

Saunders, John Van Dyke. *La población del Ecuador: un análisis del censo de 1950.* Quito: Casa de la Cultura Ecuatoriana, 1959.

Saz Sánchez, Agustín del. *Resumen de historia de la novela hispanoamericana.* Barcelona: Editorial Atlántida, 1949.

Spell, Jefferson Rea. *Contemporary Spanish-American Fiction.* Chapel Hill: The University of North Carolina Press, 1944.

Tobar Donoso, Julio. *Monografías históricas.* Quito: Editorial Ecuatoriana, 1937.

Torres-Rioseco, Arturo. *Aspects of Spanish-American Literature.* Seattle: University of Washington Press, 1963.

———. *Ensayos sobre literatura latinoamericana.* Segunda serie. México: Fondo de Cultura Económica, 1958.

———. *Grandes novelistas de la América hispana.* 2 vols. Berkeley and Los Ángeles: University of California Press, 1949.

———. *La gran literatura iberoamericana.* Buenos Aires: Emecé, 1951.

———. *La novela en la América hispana.* Berkeley: University of California Press, 1949.

———. *New World Literature.* Berkeley: University of California Press, 1949.

———. *Nueva historia de la gran literatura iberoamericana.* Buenos Aires: Emecé, 1960.

———. *The Epic of Latin American Literature.* Berkeley: University of California Press, 1959.

Toscano Mateus, Humberto. *El español en el Ecuador.* Madrid: Consejo Superior de Investigaciones Científicas, Escelicer, 1953.

Urioste, Jorge. *Gramática de la lengua quechua y vocabulario quechua-castellano, castellano-quechua de las voces más usuales.* La Paz: Editorial Canata, 1955.

Uslar Pietri, Arturo. *Breve historia de la novela hispanoamericana.* Caracas: Ediciones EDIME, 1954.

Valbuena Briones, Angel. *Literatura hispanoamericana.* Barcelona: Gili, 1962.

Vázquez, Honorato. *Reparos sobre nuestro lenguaje usual.* Quito: Editorial Ecuatoriana, 1937.

Zum Felde, Alberto. *Indice crítico de la literatura hispanoamericana.* Tomo II: *La narrativa.* México: Editorial Guaranía, 1959.

IV. Artículos relacionados con la novelística de Icaza

Belmar, Daniel. «*Huairapamushcas*, novela de Jorge Icaza», *Atenea* (Concepción, Chile), XCII, Núms. 283-284 (1949), 141-144.

Boyd-Bowman, Peter. «Sobre la pronunciación del español en el Ecuador», *Nueva Revista de Filología Hispánica,* VII (1953), 221-233.

Buitrón, Aníbal. «Vida y pasión del campesino ecuatoriano», *América Indígena,* VIII (abril, 1948), 113-130.

Canfield, D. Lincoln: «Two Early Quechua-Spanish Dictionaries and American-Spanish Pronunciation», en la colección de ensayos, *South Atlantic Studies for Sturgis E. Leavitt.* Washington: Scarecrow Press, 1953, págs. 63-70.

Cometta Manzoni, Aída. «Realidad actual del indio», *América Indígena,* VIII (julio, 1948), 155-164.

Couffon, Claude. «*Cholos*», *Letras del Ecuador* (octubre, 1959), pág. 18.

Crooks, Esther. «Contemporary Ecuador in the Novel and Short Story», *Hispania,* XXIII (1940), 85-88.

Descalzi, César Ricardo. «*El chulla Romero y Flores,* última novela de Jorge Icaza», *El Comercial* (Quito), 3 agosto 1958, pág. 11.

Dulsey, Bernard. «Jorge Icaza and his Ecuador», *Hispania,* XLIV (1961), 99-102.

Durand, Luis. «*Huasipungo,* por Jorge Icaza», *Atenea* (Concepción, Chile), XXIX, Núm. 115 (1935), 127-129.

Ferrándiz Alborz, Francisco. «El caso de América visto a través de una novela (*Cholos,* del ecuatoriano Icaza)», *Revista de América* (Bogotá), IV (1945), 156-160.

——. «Jorge Icaza», *Letras del Ecuador* (octubre, 1959), págs. 18-19.

Franklin, Albert B. «*Cholos*», *The Quarterly Journal of Inter-American Relations,* I (1939), 131-133.

——. «Ecuador's Novelists at Work», *The Inter-American Quarterly,* II (October, 1940), 29-41.

Fuentes Roldán, Alfredo. «Programas indigenistas ecuatorianos 1954-1958», *América Indígena,* XIX, Núm. 4 (octubre, 1959), 275-304.

Garro, J. Eugenio. «A través de las novelas de Jorge Icaza», *Revista Hispánica Moderna* (1946), págs. 217-238.

González y Contreras, Gilberto. «Aclaraciones a la novela social americana», *Revista Iberoamericana,* VI (mayo, 1943), 403-418.

——. «Jorge Icaza y la novela clasista», *América* (La Habana), XII (1941), 22-24.

Icaza, Jorge. «Relato, espíritu unificador en la generación del año 30», *Letras del Ecuador*, núm. 129 (1965), 10-11.

Kany, Charles E. «Impersonal *dizque* and its Variants in American Spanish», *Hispanic Review*, XII (1944), 168-177.

Kiddle, Lawrence B. «Spanish Loan Words in American Indian Languages», *Hispania*, XXXV (1952), 179-184.

Larson, Ross F. «La evolución textual de *Huasipungo*, de Jorge Icaza», *Revista Iberoamericana*, XXXI (julio-diciembre, 1965), 209-222.

Levy, Kurt L. «*El chulla Romero y Flores*», *Books Abroad*, XXXIV (1960), 390.

London, Gardiner H. «Quichua Words in Icaza's *Huasipungo*», *Hispania*, XXXV (1952), 96-99.

Marzal, Manuel. «El indio y la tierra en el Ecuador», *América Indígena*, XXIII, núm. 1 (enero, 1963), 7-30.

Montalvo, Antonio. «*En las calles*», *América* (Quito), XI (1936), 113-115.

Noel, Martín Alberto. «Diez minutos con Jorge Icaza», en la sección literaria de *Clarín* (Lima), 26 julio 1959.

Pedro, Valentín de. «*El chulla Romero y Flores*», *Letras del Ecuador* (octubre, 1959), pág. 18.

Pego, A. «Jorge Icaza: *Huasipungo*», *Revista Hispánica Moderna*, II (1935-1936), 26-27.

Putnam, Samuel. «*Cholos*», *Books Abroad*, XV (1941), 299-300.

Ramos, Margaret M. «The Problem of Andean Vocabulary», *Hispania*, XXXII (1949), 478-483.

Rubio Orbe, Gonzalo. «El indio en el Ecuador», *América Indígena*, IX, número 3 (julio, 1949), 205-235.

Schwartz, Kessel. «Some Aspects of the Contemporary Novel of Ecuador», *Hispania*, XXXVIII (1955), 294-298.

Suárez, Pablo A. «La situación real del indio en el Ecuador», *América Indígena*, I-II, núm. 1 (1941-1942), 59-62.

Suárez Calimano, E. «Dos novelas de Jorge Icaza», *Nosotros* (Buenos Aires), I (1936), 315-319.

Torres-Rioseco, Arturo. «Nuevas tendencias en la novela», *Revista Iberoamericana*, I (1939), 91-94.

Uslar Pietri, A. «The Spanish American Novel Declares its Independence», *Books Abroad*, XI (1937), 150-152.

Uzcátegui, Emilio. «Ecuador's Novels and Novelists», *Americas* (Pan American Union), XVI (May, 1964), 29-34.

Valle, R. Heliodoro. «El español de la América Española», *Hispania*, XXXVI (1953), 52-57.

Vetrano, Anthony J. «Imagery in Two of Jorge Icaza's Novels: *Huasipungo* and *Huairapamushcas*», *Revista de Estudios Hispánicos*, VI (1972), 293-301.

Villagómez L., Adrián. «Icaza: 25 años de *Huasipungo*», *Excelsior* (México), 15 febrero 1960.

INDICE

153

Este libro acabóse de imprimir
el 21 de junio de 1974
en el Complejo de Artes Gráficas
MEDINACELI, S. A.
Barcelona
(España)

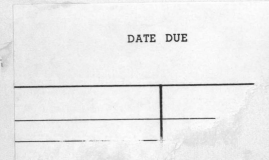

DATE DUE